TACK!

Genom att välja en klimatsmart pocket från Bonnier Pocket bidrar du till vårt arbete för att göra produktionen av pocketböcker miljövänligare.

Vår vision är att ge ut böcker där man tagit hänsyn till miljön i varje steg av produktionen – och vi strävar efter att bli ännu bättre.

Vi har därför valt att trycka alla våra böcker på FSC-märkt papper. FSC står för Forest Stewardship Council och är en oberoende, internationell organisation som verkar för socialt ansvarstagande genom ett miljöanpassat och ekonomiskt livskraftigt bruk av världens skogar. FSC:s regelverk slår bland annat vakt om hotade djur och växter, om hållbart och långsiktigt bruk av jorden och om säkra och sunda villkor för dem som arbetar i skogen.

För de utsläpp som trots allt inte går att undvika i bokproduktionen klimatkompenserar vi genom Climate Friendly. Vi bidrar härigenom till utbyggnaden av hållbar utvinning av förnybar energi, såsom vindkraft.

Vill du veta mer? Besök **www.bonnierpocket.se/klimatsmartpocket**

FSC

D1499232

klimatsmart pocket

Mari Jungstedt

DU GÅR INTE ENSAM

Bonnier Pocket

www.bonnierpocket.se

ISBN 978-91-7429-394-4
© Mari Jungstedt 2013
Första utgåva Albert Bonniers Förlag 2013
Bonnier Pocket 2014
ScandBook AB, Falun 2014

Till min underbara och älskade väninna
Ulrika Hall – alltid i mitt hjärta

Om bland tusen stjärnor
någon enda ser på dig,
tro på den stjärnans mening,
tro hennes ögas glans.

Du går icke ensam.
Stjärnan har tusen vänner;
alla på dig de skåda,
skåda för hennes skull.

Lycklig du är och säll.
Himlen dig har i kväll.

CARL JONAS LOVE ALMQVIST

Ett trevande dagsljus letade sig in genom de höga kyrk-fönstren. Det var mitt på dagen men ljuset nådde inte långt. Så här års orkade solen knappt upp över hori-sonten. Molnen hopade sig på den gråkalla himlen utanför Öja kyrka på södra Gotland. Vinden ven kring tornet som reste sig högt över hustaken och syntes vida omkring.

Den senaste stormen hade skoningslöst farit fram över ön och fällt ett okänt antal tallar längs de gotländska stränderna.

Kyrkklockornas dova klang tycktes melankolisk, ödes-mättad, när den ljöd över begravningsgästerna som hukade sig i vinden och skyndade in i kyrkan.

De sjönk ner i knarrande bänkrader, sammanbitna och tätt hopträngda. Alla behöll ytterkläderna på, den stora kyrkan var endast nödtorftigt uppvärmd.

Kyrkobesökarna var lågmälda, gripna av stunden, andaktsfulla i dödens närvaro. De silvergrå huvudena lutades tätt intill varandra, minerna var allvarliga, kinderna vinterbleka. De flesta var till åren komna. Livets vedermödor visade sig i fårade ansikten, slappa hakveck och glanslösa blickar. Rynkiga händer tummade, smått nervöst, på psalmböckernas silkestunna blad. Högkoret var prytt med dödens vita liljor. En påminnelse om att tiden är utmätt och att ingen kommer undan.

En och annan vred på huvudet, utbytte ett snabbt ögonkast eller beundrade den praktfullt utsmyckade kyrkan. Längs sidorna löpte ornamentala slingor av medeltida detaljrika målningar, det förgyllda och ringformade Öjakrucifixet tronade i kyrkans mitt. I ett hörn stod den berömda madonnan, mater dolorosa, vemodigt vacker med böjd nacke och nedslagen blick.

Tonerna från orgeln fyllde det storslagna kyrkorummet och gav dess tjocka stenväggar liv, spred sig över människornas huvuden, genom bänkar och upp i taket, högt ovanför.

Härlig är jorden, härlig är Guds himmel, skön är själarnas pilgrimsgång.

Församlingen reste sig och stämde in i psalmen. Kyrkan var nästan fullsatt, vilket var ovanligt. Senast var det adventskonserten som hade dragit lika mycket folk.

Utanför den mäktiga kyrkobyggnaden kroknade träden i vinden. Vintern hade lagt jorden i träda, ett tunt snötäcke dolde den stelfrusna marken, bäddade in hus och

10

gårdar. Djuren stod inne över vintern, hagar och åkrar låg tomma och döda. Det var som om hela världen hade övergett ön, en glömd plats inte menad för människor. Den långa, mörka årstiden innebar en enda lång väntan. En väntan på liv.

Himlen svartnade än mer. Mörkret hade kommit för att stanna. Och med det den stora ensamheten.

ödra Murgatan löpte utefter den medeltida ringmuren och husen som trängdes på den smala kullerstensgatan var typiska för Visby. Vita kalkstensputsade hus med låga trädörrar och fönster dekorerade med spetsgardiner och vackra konstföremål, helt nära trottoarkanten. Vissa var sammanväxta med den höga och tjocka muren som omgärdade staden. Här uppe var trafiken gles. Särskilt nu i september när högsäsongen var över och de flesta turister lämnat ön.

Eva Eliasson trampade mödosamt fram på cykeln med treåriga dottern Vilma på pakethållaren. Det var ganska besvärligt att ta sig fram på det knaggliga underlaget, men hon var van. Denna måndagsmorgon fick Vilma följa med sin mamma till jobbet på frisersalongen, liksom många gånger förr det senaste året. Flickan var medtagen efter helgens förkylning och måste stanna hemma från förskolan. Efter skilsmässan och den infekterade vårdnadstvisten som Eva vunnit var hjälpen

13

från Vilmas pappa i det närmaste obefintlig, förutom de helger dottern bodde hos honom. För övrigt fick Eva klara sig själv. Hon var tvungen att jobba så mycket som möjligt för att få ekonomin att gå ihop och hankade sig fram med barnomsorgen tack vare att hennes väninnor och systern ryckte in när det behövdes.

Hon arbetade som nagelskulptris och hade efter skilsmässan startat eget och hyrt in sig i Salong Jenny, något avsides belägen uppe på Södra Murgatan.

Eva parkerade cykeln på salongens baksida och hjälpte Vilma ur sitsen. Efter att hon knäppt på kaffebryggaren och förberett för dagens första kund som var inbokad klockan nio, slog hon sig ner vid utomhusbordet bredvid entrén, tände en cigarett och blundade mot solen. Hon hade en kvart på sig. Efter en veckas regn och blåst hade vinden mojnat och det vackra vädret återkommit.

Det var riktigt varmt i solen, hon tog av sig koftan och smuttade på det starka kaffet. Vilma verkade piggare. Hon lekte med sina plasthästar i gräset på andra sidan gatan, nedanför Kajsartornet, ett av ringmurens många försvarstorn. Dottern småpratade för sig själv medan hon lät hästarna hoppa omkring på marken och stångas mot varandra. Eva smålog bakom sina solglasögon. Hon var för söt, Vilma. Ett styng av dåligt samvete eftersom hon varit ganska irriterad på sin dotter under helgen. Hon jobbade hårt under veckorna och brukade unna sig att gå ut och dansa på lördagskvällarna. Det var hennes andningshål. Hon njöt av att piffa till sig, bli lagom berusad och få bekräftelse. Men den här helgen hade det inte blivit av. Ingen ville ta hand om Vilma när hon snorade och hade feber.

Eva avbröts i tankarna av den första kunden, hennes barndomsväninna Katja, som hejade glatt på Vilma. Hon släckte cigaretten, reste sig och gav väninnan en hastig kram.

– Hej, vill du ha kaffe?

– Gärna. Jag har massor att berätta.

Eva samlade ihop Vilmas hästar i gräset och tog dottern i handen.

– Kom Vilma, så får du ett glas saft. Du får leka inne nu.

Eftersom solen sken så fint lät hon dörren ut mot gatan stå öppen.

David Forss vaknade tvärt. Det var något som inte stämde. Han sträckte ut armen och trevade försiktigt bredvid sig. Annas sida av sängen var tom. Rummet låg i mörker. Han lyssnade intensivt. Inte ett ljud. Kanske var hon på toaletten. Han tittade ut i det svarta utan att kunna urskilja annat än konturerna på fönstrets gardiner. Rummet var mörkare än vanligt och han insåg att det berodde på att dörren var stängd. Den brukade alltid stå vidöppen. Anna klagade över att det blev för instängt annars, hon ville ha in luft från resten av huset.

Antagligen satt hon uppe och sydde, det brukade hon göra när hon inte kunde sova. Sedan en tid hade Anna fått problem med sömnen. Hon var trött på dagarna och hade börjat ta en tupplur när hon hämtat Heidi från förskolan. Förut ägnade hon sig åt dottern när hon inte arbetade, men numera var hon ständigt sömnig. Kanske var hon sjuk utan att hon ville säga något om det.

Anna pratade inte särskilt mycket om vad hon tänkte och kände, det hade hon aldrig gjort. De gick mycket om varandra. David arbetade natt på gummifabriken och hon jobbade som sömmerska i hemmet. Oftast satt hon och sydde medan han sov. I bästa fall fick de några eftermiddagstimmar ihop innan de åt middag och han åkte till jobbet.

Förr lagade de maten tillsammans och hann med en timme i tevesoffan när Heidi lagt sig innan det var dags för honom att ge sig av. Men det var länge sedan nu. Han lät det bero, tänkte att det skulle gå över. Att hon skulle komma tillbaka till honom. Kanske var det bara en period.

David reste sig och klev ur sängen. Öppnade dörren försiktigt, den gled upp mot den mörka korridoren utanför. Ett svagt ljus syntes genom springorna till Annas syateljé som låg längst bort, något avsides bortom badrummet och klädkammaren. Det var som han trodde, hon satt alltså uppe och arbetade. Golvet knarrade svagt under hans fötter. Han tassade förbi barnkammaren där dottern låg och sov. Hennes dörr stod på glänt och han hörde svaga snusningar.

Så bröts tystnaden av de entoniga klockslagen från Öja kyrka som klingade genom den stilla natten. Tre stycken. Han kände en svag irritation över att Anna satt uppe vid en sådan okristlig tid och höll honom vaken. Nu när han faktiskt var hemma och kunde dela säng med henne.

När han närmade sig hennes ateljé hörde han inte det

vanliga surret från symaskinen. Istället trängde en lågmäld röst ut från rummet. Vem pratade hon i telefon med så här dags? Han smög sig fram mot dörren och tryckte örat intill. Rösten lät barnslig, den var ljusare än vanligt. Ändå gick det inte att ta miste på att det var hon som pratade, det var uppenbart att hon förställde sig.

Hjärtat slog hårt i bröstkorgen. Han kunde inte urskilja orden som yttrades på andra sidan. Han hörde henne fnittra till. Vad i helsike var det fråga om?

Under någon minut stod han där villrådig, visste inte hur han skulle agera. Skulle han slå upp dörren och överraska henne? Eller smyga tillbaka till sängen och låtsas som ingenting? Obeslutsam blev han stående i den mörka korridoren. Hon var hans allt och det visste hon mycket väl. Ilskan sköt upp inom honom. Gick hon bakom ryggen på honom? Han som slet hårt på fabriken för att få ihop till brödfödan, för att försörja familjen. Han som gjorde allt för henne.

Tankarna tumlade runt i huvudet. Hela tiden hördes den låga, barnsliga stämman på andra sidan dörren. Den förvirrade honom.

Han sträckte ut armen och tryckte ner handtaget.

Kriminalkommissarie Anders Knutas styrde gräsklipparen runt den stora platta tomten. Morgonluften kändes frisk och klar, det blåste lite från havet. Huset låg enskilt och han slapp träffa människor här vid sommarstugan i Lickershamn, några mil norr om Visby.

Han var uppe tidigt, vilket var ovanligt nuförtiden. Antagligen berodde det på att han glömt att ta sin sömntablett föregående kväll. Sedan den tunga depressionen kommit över honom några månader tidigare och han börjat ta antidepressiv medicin hade han svårt att sova. För första gången i sitt liv åt han sömntabletter. Medicinen gjorde att han sov länge på morgnarna och högst motvilligt tog sig ur sängen.

Depressionen hade utlösts av två händelser som inträffat tätt inpå varandra. Dels var det skilsmässan från Line, som han varit gift med i över tjugo år. Det var hon som ville lämna honom och han förstod nog fortfarande inte riktigt varför. Dels hade han varit med om en chockartad upplevelse i bergen på Gran Canaria tre månader tidigare då han blivit vittne till hur en hel familj dödsstörtade ner i en ravin.

Dubbelmördaren Vera Petrov hade skjutit ihjäl två män på Gotland några år tidigare och sedan lyckats fly med familjen utomlands. Till sist hade Petrov spårats till den spanska semesterön och Knutas reste dit. Men under en dramatisk polisjakt i bergen där Knutas deltagit körde hon av vägen och både hon och hennes bägge barn omkom. Han chockades svårt. Efter det hade han klappat ihop. Posttraumatisk stress kallades det visst.

Först hade han tvingats sjukskriva sig på heltid, men sedan några veckor tillbaka hade han börjat jobba så smått. Han kunde gå lite fram och tillbaka som han ville, huvudsaken var att han inte stängde av arbetet helt, hade läkaren sagt.

Något som hjälpte till att få honom på fötter var att han inlett en romans med sin närmaste kollega Karin Jacobsson. Även om förhållandet var trevande så här i början. Efter många års ömsesidig beundran i tysthet hade de börjat ge utlopp för sina känslor.

Karin hade alltid funnits där i bakgrunden. Han såg hennes ansikte framför sig. De varma, bruna ögonen, gluggen mellan framtänderna. Han längtade.

Salong Jenny var liten och trivsam med vitputsade väggar och träbjälkar i taket. I hörnet längst in, bakom en utskjutande vägg, höll Eva till med sin manikyr. Så här på morgonen var det tyst och tomt, det skulle dröja ännu någon timme innan hennes frisörkollega dök upp. Det märktes att högsäsongen var över. Efter den hektiska sommaren hade strömmen av kunder avtagit betydligt.

Genom den öppna dörren mot gatstumpen utanför strömmade solljuset in och fåglarna kvittrade livligt i rosenbuskarna som klädde fasaden. Salongens läge var lugnt, fast den låg endast ett stenkast från Adelsgatans livliga affärsstråk.

Katja lade sina framsträckta händer på den mjuka handduken på bordet under lampan och Eva satte igång. De småpratade och utbytte förtroenden medan Eva arbetade. Katja berättade om en ny man hon träffat, sådana samtalsämnen var alltid intressanta och höll modet uppe. Vilma lekte obekymrat med sina hästar. Eva gav henne en hastig blick. Hon var duktig på att leka själv, den lilla. Då och då försvann hon ut i själva salongen. Hon syntes inte bakom den utskjutande väggen, men de kunde höra henne när hon gnolade med i radions melodier och småpratade med leksakshästarna. Eva lät henne hållas. Det underlättade att hon kunde roa sig på egen hand.

Katja fortsatte ivrigt att dela med sig av alla detaljer om den spännande nye mannen medan Eva penslade på lacket. Det var underhållande att lyssna på väninnan, hon sparade inte direkt på orden.

Katja var visserligen pratig, men hon var även en god lyssnare. Eva berättade om problemen med exmannen Krister som trilskades med i stort allt som gällde samarbetet om Vilma, försmådd och kränkt som han var över att han inte tilldelats halva vårdnaden. Och visst kunde det tyckas orättvist, det förstod Eva också. I början hade hon varit övertygad om att det var bäst för Vilma att bo bara hemma hos henne, nu var hon i ärlighetens namn inte lika säker. Hennes eget liv hade varit bra mycket lättare om han tagit halva ansvaret. Men så dags att tänka på det nu.

Plötsligt insåg Eva att hon inte hört Vilma på ett tag.

– Vilma! ropade hon ut mot salongen.

Men det var ingen som svarade.

– Vilma, kom hit! Hon kände osäkerheten i sin röst. Det var säkert ingenting, men hon tyckte inte om när dottern inte svarade.

– Vilma! Kom när mamma ropar!

Fortfarande inte ett ljud.

– Förlåt ett ögonblick, ursäktade hon sig inför väninnan. Jag måste se vad Vilma håller på med.

Hon väntade inte på svar, reste sig bara och gick ut i själva salongen. Blicken gled snabbt över den enda frisörstolen, skinnfåtöljerna vid glasbordet i hörnet, fondväggen med Manhattans skyline.

– Vilma! ropade hon.

Men ingen Vilma. Hon öppnade toalettdörren. Tomt. På andra sidan salongen låg rummet med massagebänken. Hon var inte där heller. Dörren ut mot gatan stod öppen, Eva sprang bort till den, tittade ut.

– Hittar du henne?

Eva vände sig om mot Katja som också rest sig och kommit ut i salongen. Hon skakade på huvudet, lade märke till att väninnan hade fått en djup, bekymrad rynka i pannan. Hon gned handen mot bröstet medan hon oroligt såg sig omkring. Blicken for över grästäppan, den gamla trätrappan upp till Kajsartornet. Hon trampade omkring utanför salongen medan hon spanade åt bägge håll bortåt den folktomma gatan.

– Vilma! Rösten svek henne. Hon svalde och kände en värkande klump i bröstet. Vilma!

Hon vände sig återigen mot väninnan som stod i dörröppningen.

– Är hon inte där inne?

Katja tittade runt för att försäkra sig om att Eva verkligen hade letat igenom hela salongen. Hon vände

23

sig mot Eva som stod ute på gatan och inte visste vad hon skulle ta sig till.

– Tror du att hon har gömt sig? frågade Katja.

– Nej, det tror jag inte. Det vore inte likt henne.

Eva sprang tillbaka in på salongen och började flytta på möblerna, titta bakom soffan, bakom gardinerna.

– Bara hon inte har fått ett av sina anfall.

Slutligen blev hon stående mitt i salongen med armarna hängande utefter sidorna.

– Jag fattar inte vart hon har tagit vägen, sa Eva och darrade på rösten. Hon var ju här alldeles nyss.

– Ta det lugnt, tröstade väninnan och klappade henne på armen. Hon är säkert inte långt borta.

Systematiskt letade de båda kvinnorna igenom vartenda skrymsle utan att hitta ett spår av barnet. Eva kände hur magen snörde ihop sig. Hon öppnade bakdörren ut mot gården samtidigt som hon vände sig mot Katja. Hon kunde höra fruktan i sin egen röst.

– Vi måste leta på gården! Hon kan ha gått ner till Adelsgatan. Kolla först igen om hon är på andra sidan!

Det dröjde inte länge förrän Katja ropade.

– Eva, kom hit! Skynda dig!

När Eva vek runt hörnet satt väninnan på huk i gräset, hon stannade upp, kände hur hjärtat slog hårdare. Hon andades tyngre. Utan att hon märkte det tog hon sig för bröstet.

Katja vred sig långsamt mot henne. Käre Gud, tänkte hon. I handen höll Katja två vita små skor. Käre Gud, gör inte detta mot mig. Hon kände hur hon blev yr, det svindlade för ögonen, hon kunde inte längre känna sina fingrar. Men hon blev stående, som fastfrusen i marken.

– Är inte de här Vilmas? frågade Katja.

Eva hämtade andan, Käre Gud, låt inte detta hända mig, tänkte hon. Låt det inte hända Vilma något.

– Ja, sa hon stilla och nickade svagt medan hennes ögon tårades och världen runt henne blev suddig och oklar.

Kriminalkommissarie Karin Jacobsson tvinnade en lock av sitt mörka hår mellan fingrarna och vägde på stolen. Benen var uppslängda på det ostädade skrivbordet. Framför henne stod en orörd kaffemugg prydd med AIK:s emblem. Hon drack ur muggen, fast hon inte ens gillade AIK. Den tillhörde hennes kollega Anders Knutas. Han var emellertid inte på jobbet för tillfället. Och han var inte längre bara en kollega.

Karin fylldes av ömhet när hon tänkte på honom. Hon längtade efter att de skulle bli ett par på riktigt. Det hade inte blivit så efter allt som hände på Gran Canaria. Efter hemkomsten hade han drabbats av en depression som verkade vara av det djupare slaget.

Hans barn, tvillingarna Petra och Nils, hade gått ut gymnasiet men bodde då fortfarande hemma. Den första tiden hade de tagit hand om honom, men i augusti började båda studera på fastlandet och reste från Gotland.

Hon visste att de kom hem nästan varje veckoslut. Hon såg fram emot att få träffa dem i sin nya roll som deras pappas käresta och inte bara en i raden av poliskolleger. Visst hade de setts av och till genom åren, men aldrig direkt pratat med varandra.

Karin såg Anders ansikte framför sig och det hettade till i magtrakten. Det kunde inte hjälpas, hon var kär i sin chef, riktigt kär. Hon hade varit säker på sina känslor för honom i åratal. Trots att hon träffat andra hade han alltid funnits där. Men han hade varit gift och hade barn, vilket naturligtvis stått i vägen. Nu var det inte så längre. Hans skilsmässa hade blivit klar under den gångna sommaren. Anders var numera fri. Så länge som hon väntat, hoppats och längtat.

Hon drog i luggen. Den senaste tiden hade hon låtit håret växa. Tyckte själv att det klädde henne, det gav ansiktet en mjukare inramning. Hon var fyrtiosex år gammal, men väl medveten om att hon såg yngre ut. Ännu hade hon knappt några gråa hår och kroppen var i ungefär samma skick som för tjugo år sedan.

Ett barn hade hon fött, när hon var bara femton år gammal. Då hade hon, på inrådan av sina föräldrar, adopterat bort dottern, men återfått kontakten för bara några år sedan. Hon såg Hannas ansikte framför sig. Trots att de inte haft kontakt under hela Hannas uppväxttid kände hon en stark samhörighet med dottern. Hon trodde och hoppades att Hanna kände detsamma.

Karin väcktes ur sina funderingar av en hård knackning på dörren. Hon tog ner fötterna från bordet.

– Kom in!

Kriminalinspektör Thomas Wittberg stack in sitt ljuslockiga huvud.

– Du, det är en treåring som har försvunnit från en frisersalong mitt i stan. Du vet, det där lilla stället som ligger uppe vid Södra Murgatan, Salong Jenny heter den. Det är en liten tjej som är borta.

– Hur länge har hon saknats?

– Ett par timmar. Hon försvann vid niotiden.

Karin kastade en snabb blick på klockan. Den var kvart över elva.

– Är det nån där?

– Ja, en patrull finns på plats men de har begärt förstärkning. Det är en massa folk vid salongen som har letat efter flickan och det verkar råda en rätt kaosartad stämning. Jag tänkte sticka dit och kolla läget, följer du med?

– Självklart, sa Karin och sträckte sig efter jackan.

Kyrkporten knarrade när David Forss öppnade den. Där inne var det tyst och stilla. Öja kyrka var öppen, men tom på folk. Han visste att kyrkoherden och kantorn satt upptagna inne i församlingshemmet. De hade telefontid nu, mellan tio och tolv. Och han passade på att gå hit. Orkade inte träffa någon han kände, mäktade inte med vardagligt småprat som inte handlade om något särskilt.

Han klev in i det mäktiga kyrkorummet. Beundrade de höga väggarna som reste sig runt honom, det bleka ljuset från de vackra fönstren. Med ens kände han sig lugn och avslappnad.

Blicken drogs till det färggranna krucifixet i kyrkans mitt. I centrum Kristusbilden med sin liljekrona, gjuten i tenn och förgylld.

David stannade upp vid det en stund och betraktade detaljerna; evangelisternas symboler, de himmelska härskarorna som uttryckte sitt deltagande i Kristi lidande, syndafallet och hur Adam och Eva fördrevs ur paradiset. För att hon hade gått bakom ryggen på honom, bedragit honom med ormen. David kunde inte komma ifrån tanken på vem Anna pratat med under natten. Vem var ormen i hans paradis?

Han öppnade en sidodörr och satte sig tungt i en av bänkraderna längst framme i kyrkan. Kyrkorummet gav honom ro. Så hade det alltid varit.

Han hade levt i villfarelsen att han haft ett fullgott liv med en dotter och en fru som han älskade, djupt och innerligt. Han var för det mesta hemma när han var ledig, ibland gick han ut med kompisarna på en pub i Burgsvik, de hade en fast dag i månaden. Det hade de alltid haft. Det kunde inte vara det? Hon hade aldrig sagt något om det, inte en enda gång. Han suckade och begravde ansiktet i händerna.

Han hade trott att de hade det bra, han hade till och med hoppats att de på sätt och vis var lyckliga. De hade allt de behövde, även om det inte var fett. Visst var det knackigt med ekonomin, men det blev nog bättre med tiden. De trivdes i huset de köpt nyligen och deras fyraåriga dotter hade fått ett eget rum.

Anna hade sagt att Heidi var ett kärleksbarn när hon föddes. Han hade lett åt hennes barnsliga sätt att uttrycka sig på. Men han hade sett att hon var lycklig när hon sa det. Såg det i hennes ögon, hörde det på hennes röst. Fan, hur kunde hon göra detta mot honom? Mot dem?

I samma ögonblick som han tryckt ner handtaget till syrummet föregående natt hade dottern vaknat och brustit ut i gråt. Han hade skyndat bort till barnkammaren. Hon hade kissat på sig. En god stund blev han upptagen med att trösta och bädda rent. Till slut somnade Heidi men då hade Anna hunnit avsluta telefonsamtalet.

När han återvände till sängkammaren låg hustrun på sin vanliga plats och tycktes sova. Han kontrollerade både hemtelefonen och hennes mobil för att ta reda på vem hon talat med eller vilket nummer hon ringt. Men han hittade inget anmärkningsvärt, där fanns bara numren till deras gamla vanliga bekanta. Hon fortsatte att sova när han försökte prata med henne och till slut gav han upp och föll i en orolig sömn.

Vid frukostbordet följande morgon funderade han på hur han skulle konfrontera henne. Det var nästan så att han önskade att han aldrig hört samtalet, aldrig behövt ta upp frågan med henne. Han var inte vän med orden, det blev oftast bara fel när han försökte. Till slut tog han ändå mod till sig och berättade hur han hört hennes telefonsamtal mitt i natten. Anna verkade oberörd och påstod att hon talat med sin nyskilda väninna som behövde stöd.

När hon försvunnit iväg för att köra Heidi till förskolan ringde han upp väninnan. Hon hade inte talat med Anna på flera dagar.

Varför ljög hon? Hon höll på med något som hon

inte ville att han skulle veta om. Hade Anna en älskare? Och vem fan kunde det vara, när hade hon tid att träffa honom? Var det nån av hennes kunder? Som kom hem till dem under förevändning att han hade kläder som behövde lagas eller ville få en kostym uppsydd? Han knöt nävarna, försökte att inte se det framför sig. Anna i deras hem, kanske bjöd hon på kaffe i köket. Leende, fnissande, en främmande hand på hennes lår, någon som tog på hans hustru. Helvete, han klarade inte av tanken på det. Tanken på henne, Anna och en annan. Fan, hur kunde hon?

Hon var hans allt. Han hade ingen annan. Hon kunde bara inte lämna honom. Hon kunde bara inte.

David vände ansiktet upp mot det höga kyrkotaket. Om och om igen. Åh, Gud. Vad ska jag ta mig till? Gud, hjälp mig!

Han visste inte hur han skulle avsluta så han upprepade bönen, om och om igen, tills orden bara kom av sig själv. Han reste sig, såg upp mot taket, suckade innan han gick mot kyrkporten och öppnade den. Ett ögonblick blev han stående, så vände han sig om, böjde nacken och mumlade ett amen. Sedan gick han ut.

Utanför frisersalongen på Södra Murgatan hade en skock människor samlats när Karin Jacobsson och Thomas Wittberg anlände. Där fanns både unga och gamla. Alla pratade i munnen på varandra och stämningen var upprörd. På en stol utanför entrén satt en tunn kvinna kring trettio med långt, svartfärgat hår och grät. Bredvid stod en man i samma ålder och klappade henne tafatt på axeln. Han hade rakad skalle och armarna täcktes av tatueringar. Ansiktet var vitt av oro och han stirrade stelt framför sig. Karin antog att de var föräldrarna till den försvunna treåringen. Hon svalde hårt när hon tog in scenen. Läget var allvarligt eftersom barnet saknats i flera timmar.

Första patrullen som kommit till platsen hade spärrat av själva frisersalongen och en rejält tilltagen yta runt omkring. Även grästäppan nedanför Kajsartornet var avstängd.

Utanför banden stod en grupp journalister och försökte ställa frågor till poliserna. Så fort Karin visade sig riktades uppmärksamheten mot henne. Hon stannade upp och höjde avvärjande handen.

– Jag måste be er att gå härifrån. Polisen behöver få arbeta ifred och först och främst få en chans att ta reda på vad som har hänt. Nu tar vi över sökandet. Så fort vi har nåt att berätta kommer vi att informera allmänheten.

Folksamlingen skingrades, men reportrarna dröjde sig kvar tillsammans med sina fotografer. Karin drog en djup suck, men det var inget hon kunde göra åt saken så länge de höll sig utanför avspärrningarna. Hon gick fram till paret utanför entrén och presenterade sig själv och Wittberg.

– Är det ni som är föräldrar till den försvunna flickan?

– Ja, sa pappan sammanbitet. Det är vi två.

– Vad heter ni?

– Jag heter Krister Eliasson och det här är min fru Eva. Exfru, rättade han sig snabbt.

– Så ni är skilda?

– Sen sju månader tillbaka. Eller... det var då skilsmässan gick igenom. Det var i början av mars. Den femte.

Karin gav honom en forskande blick. Mamman till barnet hade lugnat ner sig och nästan slutat gråta. Hon snöt sig och torkade tårarna. Det var tydligt att hon ansträngde sig för att ta sig samman. Utanför avspärrningsbanden stod journalisterna kvar och tittade nyfiket åt deras håll. Karin kunde inte undgå att lägga märke till att fotograferna tog bilder.

– Kan vi gå in och prata så vi får vara ifred? frågade hon.

Inomhus slog de sig ner i salongens sittgrupp i ena hörnet. Karin valde att börja med Eva Eliasson.

– Jag har förstått att du arbetar här?

Kvinnan nickade.

– Och du hade med dig din dotter hit i dag?

– Ja, snyftade hon. Vilma fick inte gå på förskolan eftersom hon var förkyld och jag hade bara kunder fram till tolv. Vi skulle gå raka vägen hem sen...

Eva Eliasson lät urskuldande, som om hon måste försvara sig för att hon tagit med sig barnet till arbetet. Kvinnor och deras ständiga skuldbörda, tänkte Karin. Istället undrade hon varför inte Vilma varit hos sin pappa, men hon valde att inte kommentera saken för tillfället. Hon bad Eva berätta om hur det gått till när Vilma försvann, vilket hon gjorde så gott det gick under snyftningarna. Wittberg vände sig mot pappan, Krister Eliasson.

– Och var befann du dig medan detta hände?

– Jag var hos en kompis och hjälpte honom att flytta. När Eva ringde avbröt jag allt förstås och kom så fort jag kunde, jag var nog här vid halv elva.

– Och ni har letat sen dess?

– Ja, men ingen har sett eller hört nåt. Det är helt ofattbart.

Han skakade uppgivet på huvudet.

– Jag är så orolig, snyftade Eva. Vilma har epilepsi, hon kan få anfall när som helst. Särskilt om hon blir stressad.

Karin hajade till. En försvunnen treåring med epilepsi. Det lät inte bra.

– Jag måste be er båda att följa med till polishuset för mer regelrätta förhör. Ju mer vi vet om Vilma och ju fler detaljer vi har, desto snabbare kan vi hitta henne.

Föräldrarna hjälptes in i en av polisbilarna medan Karin gick iväg med Thomas Wittberg.

– Vi får ta och spärra av hela gatan och området runt omkring, ända ner till Adelsgatan. Och ta hit hundar. Jag vet att det kan bli svårt eftersom så många människor har passerat, men det är åtminstone värt ett försök.

Hon kastade en snabb blick på klockan och fortsatte:

– Du stannar kvar här och tar ansvar för att allt nödvändigt blir gjort. Se till att få hit Erik Sohlman så fort som möjligt.

Hon vaknade tidigt. Genast blev hon medveten om dödens närvaro, den svepte som en kall fläkt genom huset. Hon hörde sin mors röst mumla från föräldrarnas sängkammare. På tröskeln blev hon stående. Det svarta korset som i alla år hängt på väggen ovanför sängen vittnade om budskapet som genomsyrade hemmet. Gud ser dig överallt.

Fadern, raklång på rygg i bädden, med täcket prydligt vikt uppe vid bröstkorgen. Stilla med öppna ögon och gapande mun. Mors skrämda ansikte. Hon låg där bredvid, tätt intill. Liten och mager som en fågel, höll honom krampaktigt i handen.

– Far är kall, viskade hon, far är kall.

Själv stod hon där, osynlig, precis som hon alltid hade varit, och betraktade sin far. Han gick bort utan att ta farväl, tänkte hon. Lämnade oss bara. Under hela sitt liv hade han ignorerat henne. Och inte ens nu när Gud kallade honom till sig brydde han sig om henne.

Hela dagen stannade hennes mor i sängen och vägrade resa sig. Hon låg bara där vid sidan av sin make, han med ögonen stint stirrande i taket ovanför sig, hon med en kärleksfull blick på honom.

– Ingen ska komma och ta honom ifrån mig, sa hennes mor. Hör du, ingen. Han ska ligga här och vänta på mig, hör du?

– Ja, hade hon svarat medan hon lutade sig mot dörrkarmen och försökte hålla tillbaka gråten. Så hade hennes mor slutit ögonen, ett försiktigt leende på läpparna då hon tog hans hand och höll den i sin.

– Snälla mamma, hade hon gråtande vädjat medan hon kände hur benen höll på att vika sig under henne. Snälla, gå inte ifrån mig, mor. Snälla.

Så hade benen inte burit henne längre och hon hade glidit ner längs dörrkarmen och blivit sittande på det kalla golvet utan att kunna resa sig. Där hade hon somnat och när hon vaknade hade det blivit kväll.

Hon blev rädd för sig själv, skrämd över hur länge hon hade sovit. Hon reste sig vacklande, medan hon klamrade sig fast i dörrkarmen.

Modern låg fortfarande bredvid hennes far i sängen, hans hand i hennes.

– Förlåt, sa hon lågt och skyndade sig ner i köket för att göra i ordning sin mors tebricka. Hon tänkte servera henne som vanligt vid sängkanten. Kanske hon blev på bättre humör då, kanske hon ville stanna hos henne lite längre? Kanske skulle de kunna sörja över hennes fars död tillsammans, de två? Vara nära, i lugn och ro, vara något de aldrig förut hade varit.

Hon sköt upp den stängda dörren med foten, den gick upp med ett gnissel. Tjock tystnad, ingen luft. Rummet kändes mindre. Hon ställde ner brickan på nattduksbordet bredvid sängen. Modern låg med slutna ögon, alldeles stilla. Hennes mun var öppen. Tandlös. Torkade läppar. Ingen andhämtning.

– Nej, mumlade hon. Du kan inte, inte än.

Hon blev stående och såg på sina föräldrar i sängen. Han med blicken mot taket, hon med slutna ögon vänd mot honom. Ingen av dem såg henne, ingen av dem lade märke till att hon stod där, att hon betraktade dem.

Försiktigt smekte hon moderns tunna kind. Satte sig på sängkanten, lindade hennes hår runt sina fingrar.

– Varför gjorde du det? frågade hon. Varför gick du ifrån mig? Varför lämnar du mig ensam?

Försiktigt lade hon huvudet mot moderns bröst, låg där medan hon lyssnade mot hjärtat, men det hördes ingenting. Tog hennes hand, lade den ovanpå sitt huvud. Hon slöt ögonen.

– Kunde du inte ha väntat, jag behöver dig ju, viskade hon. Betyder jag ingenting?

Sakta rullade tårarna nerför kinderna. Hon kände plötsligt en bedövande trötthet, en utmattning hon aldrig upplevt förr. Den liknar döden, tänkte hon. Kanske är jag död. Kanske tog vi avsked tillsammans, jag behövde bara lite mer tid.

Hon kände hur kroppen långsamt domnade bort, först händerna, så spred det sig till armarna, skuldrorna, bröstkorgen, benen och sist huvudet. Hon kände hur hon slappnade av helt och hållet, att hela hon nästan inte existerade. Det var bara hjärtat som slog, men hon försökte ignorera det.

Hela natten blev hon liggande med huvudet vilande på moderns bröst, medan hon väntade på att hjärtat skulle sluta slå.

När hon vaknade nästa morgon reste hon sig och betraktade föräldrarna. Hon måste bara inse det, de hade farit iväg utan henne, hon var ensam, de hade övergett henne.

För första gången såg hon dem precis som de var. Och det gjorde henne sorgsen.

Hon lät kropparna stanna inne i sängkammaren i två dygn innan hon förmådde slå larm. Måste vänja sig vid tanken att vara ensam. Att det bara var hon kvar i huset. Nu hade hon ingen.

Efter en kaffepaus och en stunds vila fortsatte Anders Knutas att klippa gräset medan han såg ut över havet och den steniga stranden. Området här uppe var kargare än på södra Gotland och det fanns en anledning till att det kallades för stenkusten. Här avlöste klapperstenstränderna varandra och raukområden kunde hittas långt inåt land.

Enslgiheten ingav en känsla av frihet och själslig ro. Något Knutas var i stort behov av. Klippa gräset var en form av kontemplation. Att lyssna till det trivsamma knattret från maskinen som var så lätthanterlig att den nästan klippte av sig själv, andas in den friska luften och känna doften av gräs och samtidigt se ut över det vidsträckta havet.

I alla år var det han som hade skött gräsklippningen. Det första han gjorde när familjen kommit på plats i stugan var att dra fram maskinen ur vedboden och sätta igång medan Line lagade maten. Hennes ansikte fläktade förbi. Tankarna gick till barnen. Tvillingarna hade blivit vuxna, de hade accepterat att deras mamma flyttat tillbaka till hemlandet. Där fanns också en massa kusiner, mormor och morfar och deras stuga vid havet där barnen hade tillbringat många somrar. Både Petra och Nils åkte till Danmark och hälsade på med jämna mellanrum.

Ibland kändes allt som hänt den senaste tiden så overkligt. Som om han svävade en bit ovanför marken och betraktade tillvaron på avstånd. Som om han bevittnade ett skådespel, där han själv hade en av huvudrollerna. Och sedan strukits från rollistan. Han hade svårt att fatta att äktenskapet faktiskt var slut, borta och förbi. Det var som om han efter att första chocken över att Line ville skiljas lagt sig bara anpassat sig efter situationen och gjort saker och ting mekaniskt. Tagit hand om det praktiska som måste göras.

Först det svåra i att berätta för alla. Framför allt för barnen. Sedan hans föräldrar som älskade Line och blev förtvivlade över hotet om att kontakten skulle bli allt sämre och med tiden kanske upphöra helt. Hennes föräldrar, syskon, alla vännerna. Han hade blivit förvånad över hur många som hade ojat sig över sina egna känslor inför deras skilsmässa och pratat länge och väl om hur de själva upplevde det hela. Istället för att fråga hur han mådde. Sedan var det uppdelning av ägodelar och annat; ekonomiska förhållanden, bankkonton, bilen, villan och sommarstugan. De hade gått igenom allt, ordnat upp det praktiska i bästa samförstånd, men det var som om känslorna inte hängde med. De kom på efterkälken. Emotionellt hade han helt enkelt inte hunnit ifatt.

Kanske var det därför han reagerat så starkt på dödsolyckan på Gran Canaria. Det var inga andra än han själv och hans kolleger som jagat Vera Petrov in i döden. Den skulden skulle han tvingas bära hela livet. Bara hennes make överlevde, Stefan Norrström.

Knutas hade funderat på att ta kontakt med honom efteråt, men hade än så länge inte kommit sig för. Norrström hade vårdats på sjukhus i Spanien och sedan flyttats över till Karolinska i Stockholm. Möjligtvis kunde han söka upp honom senare, när lite tid lagts bakom tragedin. Kanske skulle de kunna samtala på något sätt. Norrström kanske hade behov av att prata, Knutas visste att han själv hade det.

Vid första anblicken gav Krister Eliasson ett hårtfört intryck med sin rakade skalle, sina tatueringar och sin muskulösa kropp. Dessutom hade han en ring med en dödskalle i ena örat. Men när Karin tittade lite närmare upptäckte hon att de bruna ögonen var varma och att han egentligen såg ganska snäll ut.

De hade just slagit sig ner på varsin sida om bordet i ett av polishusets förhörsrum.

– Har du en bild på din dotter? började hon.

Krister Eliasson satt något framåtlutad, bredbent med händerna vilande på låren. Som om han var beredd att resa sig vilken sekund som helst. Han tittade uppmärksamt på Karin.

– Javisst.

Han fumlade med sin iPhone och tryckte fram en bild.

– Det är bara att bläddra, sa han och räckte henne telefonen. Karin studerade bilderna. Vilma Eliasson var verkligen söt. När hon var färdig tittade hon upp på pappan på andra sidan bordet. Likheten var slående. Vilma hade ljust hår och bruna ögon, dragen överensstämde exakt med Krister Eliassons.

– Hon påminner om dig, sa hon. Och så mörka ögon. Har ni utländskt påbrå?

– Nej, inte vad jag vet. Valloner finns väl längre bak i släkten.

– Jag förstår.

Thomas Wittberg kom in i rummet och tog plats i ett hörn. Han satt med som förhörsvittne. Karin slog på bandspelaren och läste in de vanliga standardfraserna.

– Var befann du dig när du fick veta att din dotter var försvunnen?

– Jag hjälpte en kompis att flytta och vi höll på att fylla lastbilen med grejer när Eva ringde. Jag åkte till salongen direkt.

– Vad var klockan när hon ringde?

– Hon var nog närmare tio.

– Och vad hände när du kom fram?

– Det var kaos. Han skakade på huvudet. Vilma var borta och både Eva och Katja var väldigt upprörda.

– Vad gjorde du?

– Letade tillsammans med alla andra som hjälpte till. Vi tänkte att hon kanske bara hade upptäckt nåt intressant och satt och lekte nånstans, hon kan göra så ibland. Försvinna iväg och bli helt uppslukad av sånt som hon tycker är kul. Dessutom är hon snabb som en vessla och kan komma rätt långt när hon sätter fart.

Hon kan vara borta så här snabbt.

Han knäppte med fingrarna i luften för att visa vad han menade.

– Hur länge höll ni på?

– Säkert nån timme.

– Varför slog ni inte larm på en gång?

– Du vet väl själv hur det är. Ja, jag vet förstås inte om du har barn, skyndade han sig att tillägga, men ungar kan försvinna så lätt. Inte vill man störa polisen för det. Det känns pinsamt att inte ha koll på sitt eget barn. Man vill försöka klara upp situationen själv först.

– Jaså, du menar så, sa Karin dröjande och tittade ner i sina papper. Men sen ringde ni alltså polisen? Klockan elva närmare bestämt.

– Det kan stämma.

– Då hade Vilma varit borta i nästan två timmar.

– Ja...

Karin fyllde upp varsitt glas vatten ur en kanna som stod på bordet. Han verkar väldigt samlad, tänkte hon och funderade ett ögonblick på hur hon själv skulle ha agerat i en liknande situation. Antagligen hade hon varit helt ifrån sig.

– Tycker du att det är konstigt att jag är så pass lugn? frågade han plötsligt.

Karin blev överraskad av frågan, det var som om han just läst hennes tankar. Hon tog en klunk av vattnet, kände att han studerade henne.

– Folk reagerar olika, sa hon undvikande.

– Jag har alltid varit sån, sa han. Det är en överlevnadsstrategi, ett sätt att skydda sig själv, förstår du.

– Ja, jag förstår, sa Karin och lät honom prata.

– Ni kanske tror att jag har nåt med det här att göra, att det är jag som har kidnappat Vilma. På grund av den förbannade vårdnadstvisten. Fattar du hur för jävligt det är att inte få se sitt barn så ofta som man vill, bara för att man är man?

– Det var väl knappast därför Eva fick vårdnaden om Vilma, sa Karin och knep ihop munnen. För att du är man.

– Inte? Han andades irriterat genom näsan och lutade sig ordentligt bakåt. Inte det? upprepade han. Du kanske tror att det har nåt att göra med att Vilma har epilepsi? Bullshit! Jag vet varför, det är för att jag är man och på grund av de här.

Krister drog upp skjortärmen och visade tatueringarna. Han lutade sig framåt och höll upp armen så att Karin kunde se bättre. Instinktivt ryggade Karin bakåt. Krister lade märke till hennes reaktion och lutade sig tillbaka i stolen igen.

– Jag är ledsen, sa han och rullade ner skjortärmen. Det är bara det att...

– Det kan vara svårt att behålla lugnet, fyllde Karin i.

– Jag försöker, sa han lågt och sänkte blicken. Det är inte lika lätt alltid.

– Hur är det med Vilmas epilepsi – hur allvarlig är den? fortsatte hon.

– Läkarna säger att hon antagligen kommer att växa

ifrån det. Den är inte så farlig, men hon klarar inte av stress särskilt bra. Om hon blir nervös kan hon få ett anfall, men det varar som regel inte så länge, det ser bara otäckt ut. Oftast rör det sig om ett par minuter. Hon får spasmer och kramper, ryckningar i ben och armar och ögonen rullar. Men det är bara att hålla om henne tills man får kontakt med henne igen, man ska bara krama henne försiktigt, så plötsligt öppnar hon ögonen…

Krister svalde och Karin såg att han vred sina händer medan han såg ner i golvet.

– Och när hon öppnar ögonen, fortsatte han och tittade upp, hans ögon var blanka och hans underläpp skälvde lite. När hon öppnar ögonen och tittar, då vet du.

Han svalde igen och lade den ena handen över munnen ett kort ögonblick innan han lät den falla och han försökte le medan det rann en tår ner över näsroten mot munnen.

– Då vet du att det är över, att hon är tillbaka. Då brukar vi le mot varandra, först ler hon, fast hon är utmattad. Till en början förvånat, som om hon inte vet var hon är, eller vad som har hänt. Så ler jag, jag måste ju göra det, du förstår det. När hon ler måste man bara bli på gott humör, så ler hon, precis så… precis så.

Krister lade handen över munnen igen, det verkade som om han kröp ihop, försökte göra sig mindre. Så brast han ut i en hejdlös gråt. Gömde ansiktet i händerna, de breda axlarna skakade.

Karin kände ett hugg i bröstet, hon var van vid att

de som förhördes kunde bryta ihop och brista ut i gråt. Men den här gången kom det överraskande. Krister Eliasson hade verkat så lugn, så samlad. Och nu satt han där, mitt framför henne och lät allt komma ut, allt det han hade gömt bakom sin fasad, den självsäkra attityden. Fasaden rämnade plötsligt och oväntat, på ett ögonblick.

Wittberg reste sig från stolen och tog ett steg mot Krister, försökte lägga en hand på hans axel, men han vred sig undan, torkade tårarna med baksidan av handen. Rätade upp sig i stolen och försökte ta kontrollen över sig själv igen.

– Äter Vilma nån medicin?

Karin försökte normalisera situationen med en nykter fråga.

– Ja, svarade Krister, det är viktigt att hon får den.

Han tittade snabbt bort på Wittberg som för att be om ursäkt för att han under ett ögonblick mist kontrollen.

– Jag förstår, sa Karin och gjorde en anteckning. Att Vilma behövde medicin förvärrade situationen avsevärt. Hon såg upp på honom. Vill du ta en paus?

Krister skakade på huvudet.

– Jag har en paus, precis nu. Från verkligheten, förstår ni inte det? Jag har ingenting att åka hem till. Vad ska jag göra när jag går ut härifrån? Leta? Var ska jag titta efter henne?

– Det är bara några frågor till, sa Karin. Du och din fru skildes i mars – varför då?

– Vi gled väl ifrån varandra.

– Hur då?

Krister Eliasson skruvade irriterat på sig.

– Det är sånt som tyvärr händer. Folk skiljer sig hela tiden.

– Har du nåt nytt förhållande?

– Nej.

Karin tittade bort på Wittberg, han mötte hennes blick men sa ingenting.

– Är vi färdiga då? frågade hon fast hon egentligen inte förväntade sig något svar. Wittberg satt med som förhörsvittne och skulle egentligen inte ställa några frågor, bara lyssna och iaktta.

Men kollegan satte sig ytterst på stolen, knäppte händerna och lutade sig fram mot Krister Eliasson.

– Du har inte en aning om vart Vilma kan ha tagit vägen? frågade han ändå.

– Självklart inte.

– Är du säker?

– Vad menar du? utropade Krister Eliasson upprört.

Han tittade på Karin innan han vände sig om mot Wittberg igen.

– Är vi färdiga nu? Kan jag gå?

Karin betraktade honom en stund under tystnad. Sedan lutade hon sig fram och knäppte av bandspelaren.

De bägge poliserna blev sittande kvar i förhörsrummet en stund efter att Krister Eliasson hade följts ut. Karin såg allvarligt på Wittberg.

– Var det verkligen nödvändigt? frågade hon.

– Jag litar inte på honom.

– Därför att han fick ett känsloutbrott?

Wittberg ryckte på axlarna.

– Det är nåt med honom som jag inte gillar.

– Kan du vara lite mer specifik?

Wittberg reste sig och gick mot dörren.

– Nej, det är bara det att jag tycker att det är nåt obehagligt över honom, nåt som inte stämmer.

Karin suckade och lutade sig bakåt i stolen då Wittberg öppnade dörren och gick ut.

nna var inte hemma när David vaknade av att solen sken in genom fönstret. Han hade jobbat föregående natt. På köksbordet hade hon lämnat en lapp om att hon åkt in till Visby för att uträtta ärenden och skulle plocka upp Heidi på hemvägen.

David tittade på klockan, kvart över två. Han hade ett par timmar på sig att ta reda på vad hans hustru sysslade med. Han måste leta igenom huset, först och främst hennes arbetsrum där hon suttit och talat i telefonen. Hade Anna något undangömt så var det säkert där. Syateljén var hennes område och ingen annan satte sin fot där inne.

Han sköt upp dörren till rummet. Blicken gled över arbetsbordet vid fönstret. Den svarta, ultramoderna symaskinen stod centralt placerad. Den som han, efter tålmodigt sparande, överraskat henne med på trettioårsdagen. På breda hyllor utefter väggarna låg rullar med olika tyger staplade på varandra i prydliga travar, dessutom ett otal trådrullar och nåldynor. Saxar och måttband. En transistorradio på fönsterbrädan.

Ovanför skrivbordet satt skåpet med pärmar där hon förvarade uppgifter om kunder och bokade uppdrag. Anna tyckte om att föra bok både manuellt och på datorn. Han öppnade skåpet och blicken gled över pärmryggarna, men han kunde inte upptäcka något misstänkt. Han sköt igen dörren. På bordet stod hennes dator.

Föregående kväll hade han för en gångs skull gått in i syrummet när hon satt och arbetade, hittat på en förevändning att dröja sig kvar och lyckats kika över hennes axel utan att hon märkte det. Han hade sett hur hon knappade in sitt lösenord och lagt det på minnet.

David slog på datorn, tryckte in lösenordet och började söka bland hennes filer. Det mesta handlade om sömnaden; ett omfattande kundregister, fakturering sedan flera år tillbaka, information om Heidi och förskolan, hennes fritidsaktiviteter och namn och adresser till kompisar. Ingenting konstigt alltså. Anna var noggrann och verkade ha koll på allt.

Han ägnade en god stund åt att leta efter något som kunde ge en ledtråd till det mystiska telefonsamtalet, men han hittade ingenting. Hennes mejlbox hjälpte honom inte heller, där fanns mest korrespondens med myndigheter och släktingar, tonen var oftast saklig och korrekt. Ingenting märkligt avslöjades. Han släckte ner datorn, suckade tungt och lät blicken glida över rummet tills den föll på skåpet. Han reste sig och öppnade det igen, sträckte sig efter en pärm. Där fanns bara sömnadsprover, nästa innehöll kunduppdrag, en annan var full av gamla fakturor som hon sparat.

Han gick igenom varenda pärm utan att hitta ett dyft av intresse. Men när han öppnade den allra sista ramlade något ur och föll till golvet. David drog häftigt efter andan. Det var en porrtidning. Han plockade upp den blanka tidskriften, fylld av närgångna färgbilder. Hur kunde detta vara möjligt? Han började bläddra i magasinet. Sida upp och sida ner med fotografier. Så upptäckte han att flera bilder var urklippta.

David lät tidningen sjunka i knäet. Han förstod ingenting. Hans fru var ofta trött och ganska ointresserad av sex. Åtminstone tillsammans med honom. Och så hittade han en porrtidning bland hennes sömnadspärmar. Vad höll hon på med? Och varför hade hon klippt ut bilder? Vad i herrans namn skulle hon ha dem till?

En lång stund blev han sittande med tidningen i händerna.

Oron kändes i rummet när Karin klev in på spaningsledningens första möte. Det var inte helt ovanligt att barn och ungdomar försvann tillfälligt, men i de allra flesta fall kom de tillrätta inom ett dygn och oftast hade deras bortavaro en naturlig förklaring. Något sa henne att det var annorlunda den här gången. Vilma Eliasson var alldeles för liten och hade varit försvunnen alldeles för länge.

Hon kastade en blick ut genom fönstret innan hon tog plats vid bordet. Det var glest med bilar på parkeringen vid Östercentrum. Längre bort syntes den höga ringmuren som tedde sig spöklik i gråvädret. Det hade mulnat på och en kall vind svepte in norrifrån. Snart skulle det börja skymma, temperaturen riskerade att sjunka betydligt. Så här långt gånget i september var nätterna kyliga.

En del av henne hoppades att flickan inte var ute ensam och vilse någonstans när mörkret började falla.

Fast det var knappast troligt. Hon hade försvunnit mitt inne i stan. Å andra sidan kunde alternativet innebära något ännu värre. Det faktum att flickan led av epilepsi försvårade situationen. Vad hände om hon fick ett anfall?

Karin såg ut över skaran kring bordet, hon var glad över att kollegerna arbetat tillsammans i många år och kände varandra väl. Hon var fullkomligt trygg med den här gruppen. Det underlättade när de nu skulle behöva arbeta i princip dygnet runt tills de hittade Vilma Eliasson. Den enda som saknades var Anders, som bara jobbade lite då och då. Hans stol stod gapande tom. Hon hoppades att hans frånvaro inte skulle bli långvarig.

Närmast henne satt den tio år yngre kollegan, kriminalinspektör Thomas Wittberg, med den blonda kalufsen i en tofs som hängde ner på de breda axlarna. Han hade sett ovanligt nöjd ut på sistone. Wittberg var singel utan barn. Han skulle snart fylla fyrtio och var polishusets egen Casanova. Ständigt hade han nya damer på gång. Antagligen hade han träffat en ny kärlek, tänkte hon, det brukade ge liknande symptom; ett fånigt flin på läpparna, hans visslande i korridoren och att han blev mer disträ än vanligt. På sistone hade han ofta drömt sig bort när hon pratade med honom. Det var tydligt att han tänkte på annat. Wittberg var hopplös när det kom till kvinnoaffärer, men Karin gillade honom skarpt. Gudskelov hade han aldrig lagt an på henne eller varit det minsta flirtig. Hon var tacksam för den proffsigheten. De hade kommit att arbeta mer och mer tillsammans, särskilt när Anders inte fanns där som han brukade. Det blev Wittberg hon tydde sig till, hon litade på honom.

Blicken flyttades till kriminalteknikern Erik Sohlman. Som vanligt var han klädd i jeans och en skrynklig skjorta. Färgen på hans eldröda hår stämde väl överens med temperamentet som kunde vara nog så besvärligt, men han var den skickligaste tekniker hon arbetat med. Ingenting undgick Sohlmans skarpa blick.

Bredvid satt den lite äldre, skinntorre presstalesmannen Lars Norrby, betydligt elegantare klädd än de andra, alltid i slips och kavaj. Karins förhållande till Norrby var relativt svalt, även om hon uppskattade honom som kollega. Det var efter att hon seglat förbi honom när det gällde en befordran ett antal år tidigare som hans förhållningssätt gentemot henne hade blivit kyligare. Det hade aldrig riktigt blivit som förr sedan Knutas prioriterat henne framför den äldre och betydligt mer erfarne kollegan när han skulle välja biträdande kriminalchef. Nu skulle han väl få vatten på sin kvarn, tänkte hon. När det blev öppet och känt att hon och chefen hade blivit ett par. Självklart skulle hon bli beskylld för att ha gått sängvägen, även om hon och Anders faktiskt inte kommit så långt än. Tanken på honom gjorde henne varm inombords.

Hon ansträngde sig för att komma tillbaka till verkligheten. Gav en kort sammanfattning för kollegerna om vad som hittills framkommit i fallet med den försvunna treåringen. När hon var färdig vände hon sig mot kriminalteknikern.

– Sohlman, vad kan du säga om det tekniska?

– Inte mycket, tyvärr, suckade han och drog handen genom håret. Det enda av intresse som vi har hittat är flickans skor som låg kvar i gräset utanför salongen. De har tagits in för teknisk undersökning. De är i skinn så det går inte att ta några fingeravtryck, tyvärr.

– Och sökningen med hundar?

– Det var rätt tröstlöst eftersom det hade gått så lång tid sen hon försvann och en massa människor passerat på gatan.

– Bilspår då? frågade Norrby.

– Det finns förstås inte ett smack. På en kruttorr kullerstensgata lämnas inga avtryck.

Sohlman skakade på huvudet. Karin kände igen den buttra minen och irritationen i rösten. Kriminalteknikern avskydde brottsplatser som saknade vettiga spår. Om nu grästäppan utanför salongen verkligen var en brottsplats. Inte ens det kunde de vara säkra på. Sohlman fortsatte:

– Det enda som återstår är övervakningskamerorna som finns uppsatta här och var på Adelsgatan. Vi håller på att undersöka om de kan ge nåt.

Det blev tyst en stund medan Karin skrev ner de ledtrådar som fanns på en whiteboard längst fram i rummet. Än så länge var resultatet oroväckande magert.

– Inte ett enda vittne har haft ett dyft att komma med hittills, fortsatte Karin och vände sig mot kollegerna. Wittberg, kan du gå igenom förhören med föräldrarna?

– Det finns absolut en del infekterat där. De skilde sig i våras, närmare bestämt i mars, och har efter det gått igenom en tuff vårdnadstvist som utfallit till Eva Eliassons fördel. Hon fick omsorgen om Vilma, men flickan bor hos pappan var tredje helg. Pappan jobbar som svetsare på en oljeplattform i Norge och är borta ett par veckor i sträck. Kanske det också bidrog till att Eva fick vårdnaden. Båda föräldrarna har alibi, men vad de är värda vet vi inte. Det är ju deras kompisar som har intygat att de befann sig med dem i morse när Vilma försvann. Wittberg gjorde en paus och knackade med ett finger i bordsskivan. Frågan är om pappan har nåt med försvinnandet att göra. Han kan också ha lejt nån. Jag kollar vidare.

– Det är bra, men det är bara en av flera hypoteser än så länge, sa Karin. Hur går det med pedofilteorin?

– Vi har börjat kartlägga de kända pedofiler som bor här på ön och som inte sitter inspärrade, började Norrby. Ett par stycken har ganska nyligen släppts ur fängelset och det visade sig att bägge har begått sexualbrott mot småbarn. Båda bor dessutom i Visby. Den ene, Per Svensson, släpptes ut för bara en månad sen. Han är fyrtiofem år gammal och dömd för sexuellt ofredande mot barn. Han jobbade som fastighetsskötare i Gråbo och ertappades i ett källarutrymme med

59

en liten flicka som han hade klätt av naken.

Karin skakade på huvudet.

– Har vi tagit in honom?

– Nej, en patrull har letat efter honom i bostaden, men han var inte hemma. Han eftersöks just nu.

– Okej. Och den andre?

– Han är yngre. Kristian Myrberg, tjugosju år gammal. Dömd för barnpornografibrott, han hade en massa bilder i sin dator. Han avtjänade sitt straff på Österåkersanstalten och kom ut i somras. Att han skulle ha begått några fysiska övergrepp är inte känt.

– Det där verkar ju rätt löst, sa Wittberg och suckade.

– Vi måste i alla fall kolla upp det, sa Karin. Men det är viktigt att vi inte låser fast oss. Vi vet inte ett skvatt om vad som har hänt Vilma Eliasson.

– Just precis, höll Lars Norrby med. Jag tycker det ser ut som om vi är i trängande behov av allmänhetens hjälp. Borde vi inte gå ut med en efterlysning?

Karin vilade blicken på honom.

– Det är nog lika bra. Bara vi får föräldrarnas godkännande efterlyser vi henne i samtliga medier. Samtidigt upprättar vi en tipsmottagning med ett telefonnummer dit allmänheten kan ringa in tips. Flickan kan ha förirrat sig in på en byggarbetsplats, ramlat ner i en brunn eller vad som helst.

Karin kastade en snabb blick ut genom fönstret. Där ute hade höstmörkret fallit. Det var nästan så att hon kände kylan utanför.

– Fast det är inte tillräckligt, sa hon sammanbitet. Vi kallar också in hemvärnet och orienteringsklubben – vi behöver alla som kan hjälpa till att leta.

Ångesten kom om natten. Då demonerna hemsökte själen, lämnade henne ingen ro. Hon blickade ut genom fönstret. Mörkret vilade kompakt kring den ensligt belägna gården. Ytterbelysningens enda lampa på väggen bredvid entrén kastade ett svagt ljus över gräsmattan. Träden längst bort på tomten ändrade skepnad på natten. Konturerna blev spöklika, groteska, som monster där ute. När hon var liten vågade hon inte gå ut när det mörknade. Skuggorna skrämde henne, hon var rädd att de skulle krypa in i henne. Trädens grenar som avtecknade sig mot marken sträckte sig hotfullt efter henne.

På gården hade hon bott sedan barnsben. I skuggan av sina föräldrar, som hon vårdat och sörjt för i hela sitt vuxna liv. Alltid hade hon varit mån om att göra dem till viljes. Att inte vara till besvär.

Det enda hon ville var att få uppleva deras kärlek, en varm blick, en strykning över kinden, att de slog armarna runt henne, att hon skulle få känna kroppsvärmen från dem. Men det inträffade aldrig. Inte en enda gång fick hon dela den kärlek de hyste för varandra. Inte en enda gång visade de att de älskade henne. Inte en enda gång. Trots att hon försökt vara dem till lags, lyda dem, göra som de sade, uppfylla deras önskningar. Vara en god dotter. Hon nådde inte fram. Räckte inte till.

Efter föräldrarnas död då hon blev ensam hade hennes rädsla för mörkret kommit tillbaka. Kattens sällskap gav tröst, lindrade hennes isolering något. Varje natt rullade kissen ihop sig bredvid henne i sängen. Innan hon somnade på kvällen låg hon och strök katten över den runda magen, lite bucklig och ojämn här och där. Snart skulle hon få ungar. Hon kunde känna de små liven där inne, under den mjuka pälsen. Katten spann högt, såg på henne med blida ögon. Det var som om de förstod varandra. Hon såg fram emot att hjälpa kattan med den nya kullen. Uppleva att någon behövde henne.

När Knutas vaknade ensam i sängen på tisdags-
morgonen kände han sig trött och håglös. Krop-
pen var tung. Det var väl sömntabletterna. Han
stirrade upp i taket. Det var vitlaserat, under syntes
träets ådring. Hur många gånger hade han inte legat
och betraktat taket genom åren? Med Line bredvid sig.
Han insåg att det skulle ta ett tag innan han slutade
tänka på henne. Även om han var kär i Karin gjorde
Line sig påmind med jämna mellanrum. Ofta ville han
gråta när han tänkte på allt de delat genom åren. Det
kanske bara var naturligt. Psykologen hade pratat om
en sorgeprocess man måste igenom.

Han tyckte inte om ordet process, det var som om
det plötsligt inte handlade om honom längre, utan nå-
got som stod utanför honom. Och det var precis så han
kände sig, utanför.

Han satte sig upp i sängen, blev sittande och såg på
sina händer, han tyckte de såg rynkiga och kraftlösa

ut, askgråa. Han hade inte lagt märke till det förr, inte på det här sättet. De tycktes obrukbara, overksamma, som om de inte dög någonting till längre.

Han klev ur sängen och klädde på sig, han måste ut, måste ha frisk luft.

Nere i tamburen drog han på sig en jacka, öppnade ytterdörren och gick ut och ställde sig på farstukvisten. Katten passade på att slinka ut. Höstluften slog emot honom, kall och klar. Vinden friskade i och ute till havs gick vita gäss på vågtopparna. Ett sträck flyttfåglar kom pilande över himlen, hundratals, skränande i perfekta formationer, närmade sig varandra för att sedan åter skingras. De var på väg mot något nytt. Han blev stående och såg på dem tills det sved i ögonen och fåglarna försvann i horisonten.

Han drog några djupa andetag i den höga och kalla luften. Det är förändringens vindar som blåser, tänkte han. Kanske är det något bra som väntar mig, jag är också på väg mot något nytt. Tanken gav honom tröst. Han var inte i en process, han var i förändring.

Han slog sig ner på trappan, plockade fram pipan och tobaken. Började stoppa den medan han betraktade det oroliga havet.

Nere vid bryggan fick han syn på en människa som stod och såg ut över vattnet. Det är inte många som tar sig tid att betrakta vågorna när de rullar in emot land, tänkte Knutas. Särskilt inte den här årstiden. Det var en tröst i det också, att det inte bara var han som fann ro av att stå och se på böljorna när de slog in mot stranden.

Främlingen stod helt stilla, bara jackan fladdrade när vinden tog tag. Knutas kunde inte avgöra om det var en man eller kvinna, synen var inte helt vad den hade varit en gång.

Han kunde inte låta bli att dra på munnen åt sig själv, polismannen som fortsätter att observera allt han ser runt omkring sig. Var det en man eller kvinna? Färgen på kläderna, tidpunkten, speciella kännetecken. Allt kunde vara viktigt, minsta detalj.

Han måste erkänna att han saknade jobbet, saknade att ha något att göra, vara upptagen av. Just nu arbetade han så lite, knappast tillräckligt för att han skulle känna någon tillfredsställelse, samtidigt orkade han inte mer. Inte än.

Han stoppade pipan i munnen, tände den. Drog ett bloss och lät röken sakta försvinna ut genom näsan. Det var ingen av grannarna där ute på bryggan, dem hade han känt igen. Var det en turist som hade stannat till för att njuta av utsikten? Någon bil syntes inte till. Det finns folk som tycker om att promenera, tänkte han. Ganska många. Och vissa av dem tycker också om att stå ensamma på en brygga medan de spejar ut mot horisonten.

Han skulle just sätta sig på trappan igen när människan där ute vände sig om mot honom. Han fick en känsla av att den som stod där såg rakt på honom.

Knutas kisade med ögonen, det var alldeles för långt bort för att han skulle kunna se tydligt, men nu kunde han i alla fall urskilja att det var en man.

Han lyfte handen osäkert för att hälsa, stannade med handen i luften en liten stund innan han lät den sjunka. Mannen nere vid bryggan reagerade inte, stod bara kvar i samma position.

Plötsligt kände Knutas ett obehag, och nu var han säker, mannen stirrade verkligen rakt på honom. Han höjde handen igen till en vinkning. Men mannen reagerade inte nu heller.

Knutas drog jackan tätare runt sig. Han frös och kylan kom inifrån.

D avid Forss satt med porrtidningen i händerna och försökte samla ihop sina tankar. Kollade klockan. En timme återstod innan Anna skulle komma hem. Han måste söka vidare. Den fråga som omedelbart infann sig var vad hon hade gjort av de urklippta bilderna. Och vad i all sin dar skulle hon ha dem till? Han hade fått intrycket av att hon enbart klippt ut nakenbilder på olika kvinnor. Var hans fru i själva verket lesbisk?

Han drog ut alla lådor i skrivbordet, bläddrade bland hennes papper och sökte igenom alla pärmar ännu en gång ifall han missat något. Ingenting. Minuterna tickade på och David insåg att han inte hade mycket tid på sig innan Anna skulle komma hem. Längst under en hög med oanvända plastmappar hittade han en kalender. Med darrande fingrar slog han upp den. Ögnade snabbt igenom sidorna. Där stod ingenting förutom namn på olika tyger och en rad siffror bredvid. Han

gissade att det var klockslag även om de inte var ned-
tecknade på det traditionella sättet. Under exempelvis
måndagen den 16 januari stod:

Chiffong 0130–0220
Tyll 0230–0315
Viskos 0320–0350
Polyester 0400–0430
Siden 0440–0500
Organza 0515–0600

Tisdag den 17 januari:

Tweed 0115–0215
Sammet 0230–0300
Siden 0310–0345
Bomull 0350–0410
Organza 0420–0450
Tyll 0500–0530

Oförstående stirrade han på namnen på tygerna som
han gissade var koder för något annat, och så klock-
slagen bredvid. Alla gällde nattetid.

Förvirrad reste han sig och gick runt i det lilla rum-
met. Vad fan handlade detta om? Blicken föll på de
prydliga staplarna av tyger längs väggarna. På måfå
drog han ut en rulle och så ännu en. David kunde inte
hejda sig och innan han visste ordet av hade han slitit ut
varenda rulle. Då upptäckte han den. Längst in, bakom

alla tygrullar, låg en pärm. Den var ganska tjock. Han drog ut den och sjönk ner på stolen. Han tog ett djupt andetag innan han slog upp pärmen och började läsa.

Karin kände sig rastlös och lämnade polishuset direkt efter morgonmötet. Stod inte ut med att sitta och dirigera medarbetarna längre utan att veta om det skulle leda någon vart i sökandet efter Vilma Eliasson. Hon måste ut, hon måste få vara ifred och tänka.

Hon promenerade genom Östercentrum och gick in genom muren, tog direkt av till vänster in på Södra Murgatan. Klockan var strax efter nio och affärerna hade inte öppnat än. Ett stycke framför henne gick en äldre man i sakta mak och rastade en liten lurvig hund. Annars var det tyst.

Det var här uppe på den fridfulla gatan som det hade hänt, morgonen före, ett försvinnande som polisen inte hade någon kontroll över. Karin sökte något, men visste inte vad. En känsla bara. Hoppades att hon skulle se något, få en idé, vad som helst som kunde hjälpa till. Vilma måste hittas, så fort det bara var möjligt. Hon såg den lilla flickans ansikte framför sig. Det gjorde ont i henne, varje minut, när hon tänkte på vad Vilma kunnat råka ut för.

I tankarna gick hon igenom fallet och det som just nu hände i utredningen. För varje timme som gick efter Vilma Eliassons försvinnande ökade även mediernas intresse och spaningsledningens frustration. Ett pressmeddelande hade föregående kväll gått ut från polisen med de knapphändiga uppgifter man hade tillsammans med en efterlysning och vädjan om allmänhetens hjälp. Nyheten om den försvunna flickan rapporterades i samtliga medier; lokalradion, tidningar, nyhetsbyråer och i alla tevekanaler. Bilder på den söta, leende Vilma täckte tidningarnas förstasidor och visades upp i nyhetssändningarna.

Hela natten hade sökandet pågått. Skallgångar hade anordnats, både av hemvärnet och av föreningen Missing People och orienteringsklubben. Polisen hade knackat dörr och letat igenom närområdet runt salongen, utan att komma någon vart. Under hela kvällen och natten höll man på att gå igenom filmer från de övervakningskameror som fanns i närheten. Grannar och vänner till föräldrarna hade ordnat en egen skallgång. Lappar sattes upp med bilder på flickan, flygblad som tryckts upp i all hast delades ut.

Polisen hade gjort hembesök hos de två män som gjort sig skyldiga till sexualbrott mot barn, men det hade än så länge inte gett något. Trots att ett stort antal förhör hade genomförts hade de inte kunnat leda polisen vidare. Och inget vittne hade hört av sig.

Karin nådde fram till Salong Jenny. Utemöblerna stod vid entrén men dörren var stängd. Tydligen hade de inte öppnat än.

Gräsmattan framför Kajsartornet lyste grön i solen. Hon hukade sig ner och spanade utefter marken. Inte för att hon trodde att hon skulle hitta något. Det var mera en känsla. Vad hade inträffat? Kunde det ha varit en slump att en illasinnad person passerade förbi just de minuter som Vilma lämnades utan uppsikt? Vad skulle det annars kunna handla om?

Karin reste sig, borstade bort jord från knäna och såg sig villrådigt omkring.

Hon tänkte på föräldrarna och deras oro. Det måste vara det värsta som kunde hända att ens barn plötsligt var spårlöst försvunnet. Att man inte hade en aning om vad som inträffat. Tanken ledde vidare. Om nu inte någon av föräldrarna var inblandad. Polisen hade redan gått igenom deras lägenheter i jakten på ledtrådar. Det kanske var värt att kolla igen.

Vad var det Wittberg hade sagt om pappan, Krister Eliasson? Att det var något med honom, något som inte stämde. Många gånger tidigare hade det visat sig att Wittbergs känsla varit rätt. Pappan borde kollas upp mer. Hon tog fram mobilen och ringde upp åklagare Birger Smittenberg.

Knutas stod i köket på landet och gräddade pann-kakor till lunch. Matlagningen distraherade honom och motade bort alla förvirrade tankar. Han föredrog dem lite tjocka, med lönnsirap på ame-rikanskt vis. Sådana brukade han och Line festa till det med sena söndagsfrukostar när bägge var lediga. Line igen, tänkte han irriterat. Måste hon göra sig påmind stup i kvarten?

Telefonen ringde och avbröt honom. Tacksamt tryckte han in mobilen under hakan medan han lassade upp pannkakor på tallriken. Aptiten var det åtminstone inget fel på, tvärtom. Han hade säkert lagt på sig några kilon de senaste veckorna. Antagligen tröståt han.

Knutas blev förvånad när han hörde rösten i andra änden. Det var en person han inte talat med på måna-der, Johan Berg. Tevejournalisten han fått dras med, på både gott och ont, under ett antal utredningar de senaste tio åren men som nyligen flyttat tillbaka till

74

Stockholm med hela sin familj. Johan hade faktiskt skickat ett vykort till honom när han kommit hem från Gran Canaria. Knutas hade blivit rörd av omtanken.

– Hej, det är Johan Berg här. Förlåt att jag stör, men jag undrar hur du har det.

– Ingen fara. Jo tack, det är okej. Du vet kanske att jag är sjukskriven på halvtid?

– Jag hörde det. Tråkigt verkligen. Med skilsmässan och allt. Jag hoppas att du mår bättre?

– Det går väl framåt. Hur har du det själv där borta i Stockholm – har du tröttnat än?

Johan skrattade till.

– Nej, det kan jag inte säga. Fast det är tuffare än jag kunnat föreställa mig.

– Hur då?

Knutas vände de sista pannkakorna i stekpannan medan han pratade. Det var osigt i det lilla köket, fläkt saknades men han ställde upp fönstret medan han lyssnade till reportern i andra änden.

– Barnen ska anpassa sig till skolan och det går lite trögt. Emma trivs väl inte direkt på jobbet och tycker att det är ganska trist att bo här. Hon saknar Gotland, jobbet och alla vännerna.

– Jag förstår. Men du då?

– Jag stormtrivs och har dåligt samvete för det. Måste erkänna att jobbet blir mer varierat på en stor riksredaktion. Samtidigt händer det ju en del hos er. Men du kanske inte är inkopplad på fallet med den försvunna flickan?

– Det är så nytt än. Vi vet inte mycket. Och jag jobbar bara sporadiskt.

Knutas sträckte sig efter lönnsirapen och slog sig ner vid bordet. De nygräddade pannkakorna retade näsborrarna. Han längtade efter att sätta tänderna i dem. Han skar av en bit till Elsa och lade den på en assiett. Även katten var förtjust i pannkakor, särskilt nygräddade.

– Ja, det var inte därför jag ringde, fortsatte Johan. För en gångs skull handlar det faktiskt inte om att pressa dig på information. Jag ville bara höra hur du mådde.

– Tack för det, sa Knutas och blev varm om kinderna. Du som jobbar i storstan nu har väl ändå inget med det här fallet att göra? fortsatte han. Jag antar att din fotograf Pia Lilja sköter det hela galant tillsammans med den där stockholmsreportern, Madeleine Haga? Hon är duktig förresten, men förbannat envis. Och hon har ju varit här en del förut.

– Visst har hon det, sa Johan och harklade sig när Madeleines namn nämndes. Den kvinnliga reportern påverkade honom fortfarande. Han valde att prata om sin fotografkollega istället.

– Nej, det går ingen nöd på Pia, sa han lite för glättigt. Jag saknar nog henne mer än tvärtom.

– Skulle tro det, sa Knutas. Det verkar vara en färgstark kvinna.

Han började oroa sig för att pannkakorna skulle kallna.

– Du, jag skulle precis sätta mig och äta lunch här.

– Jaha, javisst. Låt inte mig störa, sa Johan. Det var trevligt att prata med dig i alla fall.

– Tack detsamma.

De avslutade samtalet.

När Knutas började äta av pannkakorna for Lines ansikte förbi igen. Johan var mitt uppe i det där livet med familj och småbarn. Då tror man att det ska hålla för evigt, tänkte han. Men det gör det inte. Det finns inga garantier för någonting här i världen.

Krister Eliasson bodde i en lägenhet ett stenkast utanför Söderport. Fastigheten hade en indisk restaurang på bottenplanet och utsikt över parkeringen vid Ica Atterdags. Karin gick de tre trapporna upp. Någon hiss fanns inte. Åklagare Birger Smittenberg hade gett henne tillstånd för ännu en husrannsakan och nyckeln hade hon fått av Wittberg som behållit den sedan den första genomgången. Under tiden hon kontrollerade lägenheten skulle han själv förhöra Krister Eliasson. Wittberg hade lovat att det skulle ta minst en timme.

Det luktade matos i trappuppgången. Karin tittade på klockan. Kvart över fem. Vid den här tiden samlades redan många familjer kring middagsbordet.

Krister Eliassons dörr var skamfilad, noterade hon. Färgen hade flagnat på flera ställen. Ovanför brevinkastet satt en hemmagjord lapp uppklistrad: *Ingen reklam, tack*. Under den en namnskylt med både Kristers och Vilmas namn.

Hon fick fram nycklarna ur fickan och låste upp sjutillhållarlåset och sedan det vanliga. En blygsam hög med post låg på hallmattan. Hon böjde sig ner och plockade upp den. Den visade sig bestå av ett par räkningar och något reklamblad, trots uppmaningen på ytterdörren. Ingenting av privat karaktär. Karin mindes den tiden då folk skickade brev till varandra, nu måste man vara datakunnig för att gå igenom folks privata post.

Det luktade instängt i lägenheten, som om ingen bodde i den eller aldrig brukade vara hemma. Den verkade större än väntat. Längre fram såg hon in i ett kök och ett intilliggande vardagsrum. Inte ett ljud, bortsett från ett svagt brus från trafiken utanför. Försiktigt rörde hon sig framåt. Köket var av standardmodell, långsmalt med matplats längst framme vid fönstret. Inga gardiner och det var kallt på golvet, mattor saknades.

Det var inte särskilt svårt att se att det var en man som bodde där. En man som inte hade heminredning som främsta intresse. Hon öppnade köksluckorna på måfå utan att finna något av intresse. Drog ut lådor, kikade i köksskåpen. Fortsatte ut i vardagsrummet, några slokande blommor stod i fönstret, i akut behov av vatten. Annars en svart skinnsoffa, ett glasbord och en stor teve på väggen. Några travtidningar på bordet, hon lyfte upp en. Hon hade just börjat bläddra i den när ett rassel hördes vid ytterdörren. Karin stelnade till. Någon var på väg in. Jäklar. Det kunde väl inte vara Krister Eliasson? Wittberg hade ju lovat. Hon hade inte låst sjutillhållarlåset efter sig och nycklarna hade hon lämnat på hallbordet. Under några sekunder blev hon obeslutsam. Vad skulle hon göra?

Snabbt öppnade hon en dörr som stod på glänt och smet in. Genast förstod hon att det var Vilmas rum. Det var målat i rosa och fyllt med leksaker. En himmelssäng i barnstorlek stod vid fönstret.

Karin sköt igen dörren och höll andan. Nu hade främlingen kommit in i lägenheten. Hon hörde hur någon tog av sig ytterkläderna i hallen. Gick in i köket och började spola i en kran. Det lät som om personen därute satte på kaffebryggaren. Följaktligen var det någon som kände sig hemmastadd i lägenheten. Bodde Krister Eliasson ihop med någon, fast han förnekat det när han blivit tillfrågad om saken?

Radion slogs på och hon hörde hur lokalradions nyhetssändning klockan halv sex rullade igång. Ett par skåpdörrar öppnades och slogs igen. Vad i hela världen skulle hon ta sig till? Där kunde hon ju inte stå och trycka. Karin övervägde under några minuter olika alternativ. Att bara smita ut kändes inte lockande, hon ville ju väldigt gärna se vem personen var som stökade runt i Krister Eliassons lägenhet när han inte var hemma.

Hon gläntade försiktigt på dörren.

David Forss häpnade när han tittade igenom den undangömda pärmen i sin hustrus syateljé. Där fanns ett register med olika flikar. Varje flik bar ett kvinnonamn; troslösa Tina, strippan Astrid, mulliga Monika, lättfotade Camilla, thailändska Kim, skolflickan Sandra... Olika kvinnonamn med uppenbart skilda karaktärer. David öppnade den första fliken som handlade om troslösa Tina. Blicken föll på en bild som klippts ur något glassigt magasin. Den visade en kurvig kvinna med uppsatt hår och glasögon, klädd i en trång dräkt och med knallröda läppar. Hon satt uppflugen på ett skrivbord med ena benet över det andra och log förföriskt mot kameran. Under bilden satt en bit tyg fasthäftad, han gissade att det var sammet.

Längre ner fanns en utförlig personlighetsbeskrivning. Troslösa Tina var trettio år gammal och arbetade som sekreterare på en advokatbyrå. Hon var singel efter ett flera år långt förhållande och bodde ensam i en modern lägenhet. Hon bar aldrig trosor på jobbet, var alltid klädd i figurnära dräkter med kjol som smet åt kring baken, men inte så trångt att hon inte kunde sära på benen.

Även rösten var utförligt beskriven: lite beslöjad av den mörkare typen, hon talade ganska långsamt med stockholmsdialekt och andades ljudligt som om hon alltid var något andfådd.

Han läste vidare i nästa avsnitt med rubriken Kundbeskrivning.

Han hittade en gift revisor som alltid kontaktade troslösa Tina när det var dags för momsredovisningen och ville att hon långsamt skulle räkna från ett till tjugo flera gånger. Där fanns en anteckning om att han brukade få utlösning vid tredje gången.

Nästa flik handlade om mulliga Monika som tydligen hade koden Bomull att döma av den fästade tygbiten.

Orden gled förbi som i en dimma; bystig, breda höfter, fyllig, underdånig, dålig självkänsla, gör allt för andra, glömmer sig själv, kan förnedras om man så vill.

Och så en lista över mulliga Monikas kunder, deras preferenser och beskrivningar om vad de ville. Där fanns en känd idrottsman, som ville vara hennes personlige tränare och hon skulle vara svettig och klädd i träningstrikåer, gymnastikskor och ett linne som inte dolde hennes valkar. Han brukade klaga på att hon var för tjock, tränade för dåligt och han anklagade henne för att ha frossat i choklad. Hon skulle snyftande erkänna att hon varit lat och ätit för stora matportioner. Allt verkade handla om att hon skulle förnedra sig.

Med darrande händer slog han upp nästa flik, och nästa. En annan av de kvinnor som bjöd ut sina tjänster var Astrid, sextiosju år och före detta stripteasedansös som hade en raspig basröst efter att ha kedjerökt hela livet. Hon beskrevs som dominant, bestämd och fräck i mun och hade mest mycket unga män som kunder. Han hittade också tjugofemåriga frisörskan Camilla, som var bystig med för korta kjolar. Hon tuggade ständigt tuggummi och var snygg och lätt på foten.

– Vad fan, mumlade han och tänkte på samtalet Anna haft den natten han stod utanför dörren och lyssnade. Långsamt gick det upp för honom vad hans hustru höll på med, men han kunde ändå inte fatta det.

En vrede bredde ut sig inom honom, samtidigt som han kände en viss lättnad över att hon faktiskt inte hade en annan. Hon hade inte träffat någon, inte på riktigt. Inte någon han kände, någon av kompisarna, grannarna, någon på jobbet. Han fick lust att skrika, slå i väggen. Visste inte helt om han skulle känna sig lättad eller arg. Han kände sig förvirrad och blev bara sittande och fortsatte läsa.

Även kundernas karaktärer och vad samtalen handlat om var ingående beskrivet. En kapten som arbetade på en fisketrålare i Nordnorge ville bara prata och inget annat. Om vad han gjort under dagen, om sina barnbarn. Han frågade inte en enda gång efter något som hade med sex att göra. Däremot hade han velat att hon skulle hjälpa honom att skriva ett tal till ett barnbarns dop. Vilket hon uppenbarligen hade gjort, för till och med talet var nedtecknat med hennes handstil.

När David gått igenom allt var han förfärad. Hans hustru Anna sålde telefonsex på nätterna medan han var på arbetet på gummifabriken. Han hade redan förstått att hon inte var den person han hade trott. Nu visade det sig att hon inte bara var en annan person.

Enligt pärmen han just gått igenom hade hans hustru inte mindre än åtta olika karaktärer och han kände inte en enda av dem.

Ett svagt slamrande av porslin hördes från köket. Personen som höll på att stöka där inne kunde inte vara Krister Eliasson. Karin visste att hon kunde lita på Wittberg. Hon hade bara befunnit sig i lägenheten i tio minuter. Hon vågade inte öppna dörren mer än bara en glipa. Annars riskerade hon att bli upptäckt om personen inne i köket fick för sig att kasta en blick ut i hallen.

Någon annan hade alltså nyckel. Det kunde naturligtvis vara vem som helst, kanske hade han en flickvän som ingen visste om. Själv hade han nekat till att han hade ett nytt förhållande när Karin frågat. Hans närmaste familj hade kollats upp, föräldrarna bodde på fastlandet och han verkade ha ganska dålig kontakt med dem. Några syskon hade han inte, inte heller några släktingar som bodde på ön.

Karin lyssnade spänt. Försökte tolka ljuden och hur personen rörde sig. Hon sträckte på halsen och kikade genom dörrglipan bortåt tamburen. På dörrmattan stod ett par röda gummistövlar och slängd över en stol låg en jacka i samma färg. Var det en kvinna som befann sig i lägenheten? Av ljuden att döma verkade hon hemmastadd.

Plötsligt ringde det på dörren. Karin ryckte till och backade tillbaka några steg in i rummet. Fortfarande stod dörren på glänt. En kvinnogestalt skymtade förbi och försvann ur sikte, hon hörde dörrlåset vridas om och så röster. Det var uppenbarligen en man som kom på besök. Återigen passerade kvinnan, sedan mannen som var ganska storväxt med tovigt hår. Hon hörde dem samtala ute i köket, men orden klarade hon inte att uppfatta.

Obeslutsam blev hon stående bakom dörren någon minut. Skulle hon smita ut och vänta utanför tills de lämnade lägenheten? Å andra sidan kunde det dröja hela natten.

Hon hörde främlingen säga något till kvinnan, han mumlade med hes röst. Det lät som om han var berusad. Hon svarade enstavigt. I nästa ögonblick stängdes radion av och de båda gick ut i hallen, rafsade till sig kläderna och försvann. Karin klev försiktigt ut. Stannade upp och lyssnade för att försäkra sig om att bostaden var tom. Hon sökte snabbt igenom rummen en gång till i förhoppningen att de båda främlingarna hade lämnat något spår efter sig. Först hittade hon ingenting och var nära att ge upp. Så kom hon på idén att kolla igenom soppåsen i köket. Hon slet ut påsen ur korgen, satte sig på huk och började gå igenom soporna. Där fanns ingenting. Just när hon skulle sätta tillbaka soporna föll blicken på plastpåsens logotyp. Det var ingen kasse från de vanliga livsmedelsbutikerna. Hon läste namnet högt för sig själv. *Källstäde kalkonfarm*. Det är den där utanför Lärbro, tänkte hon. Snabbt tittade hon på klockan. Den närmade sig sex. Nu var det väl i senaste laget att bege sig dit, det var några mil att köra. Men i morgon, tänkte Karin. I morgon åker jag dit.

Ä ven om hon led svårt av sin ensamhet stod hon knappt ut med att vara bland folk. Det var som om hon inte hörde hemma någonstans, som om andra människor tittade ut henne. Vart hon än kom blev hon ständigt utanför. Kände sig alltid konstig och annorlunda.

Det hade varit samma sak under uppväxten. I skolan var det hon och de. Två skilda världar. Hon hörde inte till, hon stod utanför. Det var ingen av skolkamraterna som brydde sig om henne. Hon var avundsjuk på de söta tjejerna som fick sådan uppmärksamhet bara för det, för att de var söta. De behövde inte göra någonting, det räckte med att de fanns. För dem verkade allting så lätt. Hon kunde inte ens föreställa sig hur det skulle kännas att vara en av dem. Själv hade hon alltid varit klumpig, inte direkt haft utseendet för sig. Till råga på allt skelade hon. Ibland låste hon in sig i badrummet och betraktade sig själv i spegeln långa stunder. Höll hon för ena ögat syntes inget konstigt. Då tittade hon rakt fram. Därefter bytte hon hand och höll för det andra ögat, även då såg det bra ut. Fast sedan släppte hon bägge händerna och tittade med båda ögonen in i spegeln och mötte sin egen blick. Då blev hon grotesk. Människor blev alltid tveksamma inför henne, de visste inte vilket öga de skulle titta på för att möta hennes blick. Själv kände hon sig också osäker i kontakten med andra. Hon var tyst och blyg och blev röd ända upp över öronen så fort någon tilltalade henne.

Hon blev aldrig inbjuden till klasskamraternas lekar på rasterna, än mindre till kalas eller hem till någon efter lektionernas slut. Alla pratade om vad de skulle göra efter skolan. Men aldrig med henne. Hon fanns inte, inte på riktigt. Hon lyckades inte få en enda vän under hela skoltiden. Och ingenting hade förändrats sedan hon blev vuxen, förutom att skelandet blev bättre. Men det gjorde egentligen ingen skillnad. Hon fick inte fler vänner för det.

Någon egen familj hade hon aldrig skaffat sig. En period när hon var i tjugoårsåldern hade hennes föräldrar försökt tota ihop henne med en son till några bekanta. Björn var mycket mer öppen än hon och hade många vänner. Hon hade svårt att tro att en sådan som han skulle vara intresserad av henne.

De träffades några gånger i föräldrarnas sällskap och hon började ändå hoppas. Fantiserade om honom på kvällarna. Att de skulle bli ihop. Vågade knappt tänka tanken ut, men hoppet hade väckts. Hoppet om något annat.

Så en kväll ringde han och bjöd ut henne på bio. Först tänkte hon att hans föräldrar säkert sagt till honom att han skulle bjuda ut henne, men hon slog det ifrån sig. Kanske hade han sett något hos henne, något han tyckte om, något ingen annan hade sett. Hon höll fast vid den tanken, så måste det vara. Han hade sett något i henne, han hade sett henne.

Hon blev nervös och oroade sig dagarna före. Men när de väl kommit dit, till biosalongens mörker, och hittat sina platser kändes det bättre. Hon försökte låtsas som om detta var något helt normalt för henne, inget konstigt alls. De satt nära, bredvid varandra, hon kunde nästan känna hans arm mot sin, hans kroppsvärme. De åt popcorn och drack Coca-Cola. Hon var svettig om händerna, både hoppades och var rädd att han skulle ta hennes hand. Fast han gjorde det aldrig. När de skildes vid hennes dörr gjorde han ingen ansats till att kyssa henne. Hon mindes att hans öron var alldeles röda. Som om han skämdes. Dagarna som följde längtade hon, väntade på att han skulle ringa och vilja ses igen. Men han hörde inte av sig. Dagarna blev till veckor.

Så fick hon höra att Björn skaffat flickvän och flyttat till fastlandet. Han hade alltså tagit med henne på bio för att föräldrarna hade sagt att han skulle göra det, han hade inga känslor för henne. Han hade aldrig haft det heller.

Återigen fick hon det bekräftat. Hon var inte värd att älskas. Hur kunde hon vara så dum att hon inbillat sig något sådant? Hon var inte bara ful, hon var dum också.

När Thomas Wittberg klev in på kriminalavdelningen på onsdagsmorgonen fick han besked om att han hade besök. En kvinna som påstod sig ha något viktigt att berätta gällande fallet med den försvunna Vilma Eliasson väntade inne på hans tjänsterum. Wittbergs förväntningar var förhållandevis låga, många vittnen påstod sig ha sett saker som sedan visade sig vara betydelselösa.

Kvinnan presenterade sig som Maria Hagberg. Hon var medelålders och rundnätt, klädd i joggingbyxor och vindtygsjacka med gymnastikskor på fötterna. I knäet höll hon en brun, terrierliknande hund som gläfste när Wittberg gjorde entré. Han gick fram och klappade hunden. Den visade tänderna och han ryggade tillbaka.

– Vilken fin, sa han och log ansträngt. Vad heter den?

– Det är en tik, hon heter Goldie. Efter Goldie Hawn,

min favoritskådespelerska, sa kvinnan och såg uppskattande på Wittberg, antagligen för att han visade intresse för hennes älskling.

– Vill du ha kaffe eller nåt annat att dricka? frågade Wittberg.

– Nej tack, jag har just druckit morgonkaffe.

– Vad var det du ville berätta?

– Jag borde ha kommit redan i måndags, inser jag. Det är så konstigt ibland... Man fattar det liksom inte då när det händer, utan först efteråt. Jag förstod ju inte vad jag hade sett. Men bättre sent än aldrig, som man brukar säga.

Hon sänkte blicken och klappade om hunden.

– Jaha, sa Wittberg. Han begrep inte alls vad hon åsyftade. Kan du berätta vad det är för iakttagelser du har gjort?

– Jag kom körande in på Södra Murgatan i måndags morse. Och...

Wittberg höll upp en hand för att hejda henne.

– Ett ögonblick, bara... Minns du vad klockan var?

– Ja... vad kan hon ha varit? Maria Hagberg dröjde på svaret. Vid niotiden...

– Kan du säga mer exakt?

Wittberg sträckte sig efter ett block och en penna på skrivbordet.

– Kvart över kanske... eller tjugo över...

Wittberg gjorde en anteckning.

– Okej, fortsätt.

– Jag svängde in där för att jag skulle hämta min

93

gamla mamma som bor en bit bort på gatan och hon är rullstolsburen så man måste ta sig ända fram till porten. Hon bröt höften för några år sen när hon var ute och gick på vintern. Du vet, det var såna där isfläckar. Hon halkade på en och föll olyckligt. Det hände precis utanför Östercentrum. Väldigt oturligt, hon har opererats flera gånger, men har ändå inte kunnat gå ordentligt sen dess. Och hon börjar bli gammal nu, mamma, tillade Maria Hagberg med en bekymrad suck.

– Jag förstår, sa Wittberg otåligt. Vad såg du den där morgonen?

– Jo, jag menar att annars kör man ju aldrig in på den där lilla gatan. Om man inte absolut måste, menar jag. Och det var för att mamma sitter i rullstol.

– Fortsätt, uppmanade Wittberg och log förbindligt, även om han tyckte att Maria Hagberg var mer än lovligt omständlig.

– Precis när jag hade svängt in där, du vet, jag kom från parkeringen utanför bredvid busstationen, så lade jag märke till en man som kom gående på gatan.

Wittberg lutade sig framåt. Äntligen började det bli intressant.

– Jaha?

– Han såg lumpig ut, som en uteliggare. Han hade långt hår och trasiga kläder. Och så gick han omkring i badtofflor. I september! Han promenerade långsamt och såg sig omkring. Jag kom väldigt nära med bilen och kröp i princip fram, det är ju så smalt där så jag fick mig en god titt på honom. Och då lade jag märke till att han hade egendomliga ryckningar i den ena ansiktshalvan. Han drog liksom upp vänstra mungipan samtidigt som han knep ihop vänstra ögat.

– Varför tyckte du att mannen verkade misstänkt, förutom att han såg luggsliten ut?

– Jo, samtidigt som jag kom förbi honom upptäckte jag en liten flicka som satt och lekte i gräset. Och när jag tittade i backspegeln så tyckte jag det såg ut som om han stannade till och dröjde sig kvar vid flickan. Men jag blev avbruten för i nästa ögonblick ringde min mamma på mobilen och var hysterisk för att hon hade råkat slå omkull en glasvas som gått i tusen bitar. Hon hade gjort sig illa och blodet rann och gud vet vad. Så jag blev fullt upptagen med henne och glömde bort den här lilla incidenten. Kring mamma är det alltid drama, suckade Maria Hagberg och himlade med ögonen.

– Varför kontaktade du inte polisen när du fick höra om den treåriga flickans försvinnande? utbrast Wittberg.

– Därför att jag inte visste om det förstås, sa hon harmset. Jag och mamma åkte raka vägen till färjeläget och körde ombord på en båt till Riga. Sen kom vi tillbaka först i morse. Vi hade inte en aning, nån av oss. Jag ringde polisen så fort jag fick höra vad som hänt.

Maria Hagberg lät förnärmad och kramade den småväxta hunden så hårt att den gnällde till.

– Okej, jag förstår, sa Wittberg lugnande och ångrade genast sitt lilla utfall. Ingen fara. Vet du om du har sett den här mannen förut?

– Nej, det tror jag inte. Det skulle jag ha kommit ihåg. De där ryckningarna lägger man märke till.

– Skulle du känna igen mannen vid en konfrontation? Och på fotografi?

– Utan tvekan. Jag minns mycket väl hur han såg ut.

Wittberg erfor en kittling i magen. Det här kunde vara ett genombrott.

På onsdagsmorgonen körde Karin norrut mot Lärbro och Källstäde kalkonfarm. Ingen av hennes kolleger hade haft tid att följa med, alla arbetade febrilt med fallet som varenda gotlänning talade om. Varje timme var viktig i jakten på den försvunna treåringen.

När hon passerade Tingstäde på vägen blev omgivningarna alltför bekanta. Detta var hennes hemtrakter. Orten var mest känd för träsket, Gotlands största sjö. Hennes föräldrar bodde kvar, men hon träffade dem sällan. Kontakten hade aldrig varit särskilt god. Karin undvek helst området, här fanns smärtsamma minnen, sådant hon helst ville glömma.

Hagen där hon haft hästen syntes från vägen, hon kunde till och med skymta stigen hon ridit in på den där ödesdigra dagen, mer än trettio år tidigare. Där inne skedde olyckan, hästen blev halt och hon sökte hjälp i ridlärarens hus. Istället för att låta henne ringa

97

sina föräldrar våldtog han henne. Hon var bara femton.

Karin blev gravid och tvingades adoptera bort dottern Hanna efter födseln. Saken tystades ner, föräldrarna rådde henne att inte polisanmäla.

Hon hade varit mycket ensam i allt det som hände henne i tonåren. Ensamheten gjorde sig påmind när hon kom tillbaka till sina hemtrakter. Hon hade förlorat Hanna i så många år och var obeskrivligt tacksam över att de kunnat återförenas till sist. En varm våg genom kroppen när hon tänkte på dottern. Tänk att de bägge var så lika, trots att Hanna inte vuxit upp med henne. De stod varandra nära, trots allt.

Nu var dottern utomlands igen, ett byggprojekt i Afrika, i Ghanas huvudstad Accra. Ett stort slumområde som skulle bort och ersättas med bostäder. Projektet skulle uppehålla henne minst ett år. De hade åtminstone kontakt via Facebook och Skype.

Konstigt, tänkte hon, jag har bättre och tätare kontakt med min dotter på andra sidan jordklotet än med mina föräldrar som bara bor några mil bort.

Med ett visst vemod i bröstet nådde hon kalkonfarmen. Den låg utefter vägen mot Fårösund, strax efter det lilla samhället Lärbro. Gården bestod av en huvudbyggnad i kalksten med två mindre flyglar, en hage och en rejält tilltagen lada.

Karin svängde in vid skylten. Solen tittade fram och trädens löv gnistrade i rödsprakande nyanser, från guldrött till brunt. När hon parkerade klev en storvuxen man i hennes egen ålder ut från ladan. Han var klädd i blåställ och gummistövlar.

– Hej, hälsade Karin och presenterade sig. Hon visade upp sin polisbricka. Jag är här för att se mig omkring och jag vill gärna prata med de anställda.

– Hej, Peter Ahlström.

– Är det du som äger farmen?

– Det stämmer. Vad gäller saken?

– Det handlar om Vilma Eliasson, den treåriga flicka som försvann från en frisersalong i Visby i måndags.

En orolig skugga for över kalkonfarmarens ansikte.

– Är nån här som är misstänkt för att ha med saken att göra? undrade han ängsligt.

– Nej, men det finns en ledtråd bland många som leder hit. Det behöver inte betyda nåt. Mer än så kan jag tyvärr inte säga.

Peter Ahlström var både lång och kraftig, säkert närmare två meter. Karin fick sträcka på halsen ordentligt när hon talade till honom.

– Fråga på du bara, sa han. Men jag är precis på väg in till kalkonerna, har du nåt emot att hänga med?

– Inte alls.

Peter Ahlström vände ryggen till och öppnade dörren. Där inne var det halvskumt och knappt ett ljud hördes. Bara lite prassel i sågspånen på golvet. Karin kisade och försökte upptäcka några kalkoner.

– Var är de? frågade hon och råkade i nästa sekund hosta till.

En öronbedövande kör av röster bröt ut, det var ett pärlande, porlande, kuttrande ljud, ganska ljust, och påminde om korta, snabba hoanden, som liksom rann ut ur kalkonernas strupar. Karin hade aldrig hört något liknande. Peter Ahlström drog på munnen åt hennes reaktion.

– De låter så där när de hör ljud som de inte känner igen.

– Hur många är de?

– Vi har väl uppåt femhundra kalkoner för tillfället.

– Varför ser vi dem inte? undrade Karin som just hämtat sig från den första överraskningen.

– De ska ha det lite mörkt och fast de har en stor yta att röra sig på så tränger de ofta ihop sig i ett hörn.

– Är det ingen annan som är här och jobbar?

– Inte just nu. Min bror kommer lite senare.

– Hur många anställda har ni?

– Det är ett familjeföretag så det är jag och min fru, min syster och min bror.

– Är ni bosatta här på gården?

– Jag och min familj bor i huvudbyggnaden här mitt emot. Min bror Kent och hans fru håller till i den ena flygeln och våra gamla föräldrar bor i den andra.

– Och din syster?

– Erika är ensamstående och har hus alldeles i närheten. Peter Ahlström trevade utefter väggen. Nu ska du få se dem.

Han vred om strömbrytaren så att inhägnaden plötsligt badade i ljus. Detta utlöste ännu ett crescendo av röster. Karin lyssnade fascinerat, ljudet påminde verkligen inte om något annat hon hört. Kalkonerna var stora och vita, med lite spretiga stjärtfjädrar. Huvudet var vackert i både blått och rött med en lång, sladdrig flik som hängde nedanför näbben.

– Varför går de inomhus? frågade Karin.

– Tyvärr får vi inte ha dem ute. Salmonellarisken. Jag skulle förstås vilja att de gick ute. De skulle ha det bättre då.

– Var är dina syskon just nu?

– Brorsan är i stan och syrran sitter väl hemma om inte annat.

Peter Ahlström drog fram ett par säckar sågspån, klippte upp dem och öppnade grinden in till kalkonerna, vilket utlöste ännu en kaskad av ljud. Karin väntade tills den hade ebbat ut.

– Vet du om nåt av dina syskon känner till familjen Eliasson?

Kalkonfarmaren som börjat sprida ut sågspånen på golvet i inhägnaden med kalkoner trampande tätt omkring avbröt sig i arbetet. Han rätade på ryggen och såg fundersamt på henne.

– Nu när du säger det så vet jag att min syster Erika känner han som är pappa till den försvunna flickan. De har jobbat tillsammans, fast det var många år sen. De var fritidsledare på samma ungdomsgård.

– Har de fortfarande kontakt?

– Det vet jag inte, men de var faktiskt ihop ett tag. Fast, som sagt, det är länge sen.

En glimt av oro i blicken.

– Du tror väl inte att Erika har nåt med det där barnets försvinnande att göra?

– Jag tror ingenting, men jag skulle gärna vilja prata med henne. Hur hittar jag hem till henne?

– Kör ut på vägen och ta vänster tillbaka mot Visby. Så är det nästa avtagsväg. Sista huset, det går inte att missa. Vägen tar slut där.

– Tack. Karin räckte fram sitt visitkort. Och kan du be din bror ringa mig så fort som möjligt?

– Visst.

Under tystnad betraktade David sin hustru medan hon satte på kaffet efter maten. Oron kröp inom honom. Ena stunden ville han skaka om henne, den andra falla om halsen på henne. Anna var så oåtkomlig, han nådde inte fram till henne. Hon stod med ryggen vänd mot honom och plockade med disken. De hade just avslutat middagen och David skulle åka till jobbet om någon timme. Håret hade hon uppsatt i en knut i nacken. Anna var så vacker, liten och finlemmad, som en älva. Nacken vit och silkeslen, håret tjockt, mörkt. Slingor av det hängde ner på de späda axlarna. Hon var klädd i en lång bomullskjol och gick barfota som nästan alltid inomhus. David brukade gräla på henne om elräkningen, hon skruvade alltid upp värmen för hon avskydde att frysa men tyckte om att vara tunnklädd. Kunde inte sitta och sy i tjocka paltor, förklarade hon.

Han ville fråga henne om det han upptäckt, men

tordes inte. De pratade sällan med varandra om känslor. Det var något med hennes sätt som gjorde att han inte vågade sig fram. Som om hon var omgiven av ett osynligt pansar, ett hölje; tjockt, hårt och ogenomträngligt.

David var rädd att hon skulle bli arg för att han snokat, att han gjort intrång. Han visste inte hur han skulle börja prata om det. Var helt enkelt livrädd att mista henne. Och snart skulle han bli tvungen att åka till jobbet och stanna borta hela natten utan att ha den minsta uppsikt över vad hon sysslade med. Frustrationen var honom nästan övermäktig, han hade god lust att sjukskriva sig men visste att de inte hade råd.

Heidi kom in i köket. För att bli av med henne hämtade han en glasspinne i frysen och gick ut i vardagsrummet och placerade henne framför teven. En tecknad film skulle uppehålla henne en stund. Han ville försöka prata med Anna, men visste fortfarande inte hur han skulle gå tillväga. Fortfarande stod hon med ryggen emot honom. Serverade sig själv kaffe och ställde sedan fram kaffetermosen och en mugg till honom på bordet. Han drog efter andan, något måste han säga.

– Jag går upp och sätter mig och jobbar, sa hon plötsligt och lämnade rummet innan han hann få ur sig något.

Han blev ensam kvar i köket. Oron malde inom honom. Han rörde om sockret i muggen och tittade ut genom fönstret. Öja kyrka avtecknade sig vackert mot den mörka himlen. Orden, frågorna, hade fastnat i halsen på honom, han fick dem inte ur sig. Inte ens nu, när han satt där ensam, han kunde inte ens viska dem. Han måste prata med någon.

Vägen var spikrak och omgärdad av tallskog och en låg stenmur som löpte längs bägge sidor. Erika Ahlströms hus låg mycket riktigt vid grusvägens ände, precis som kalkonfarmaren hade sagt. Karin parkerade utanför en skamfilad lada av kalksten med en murken trädörr och fönster som var så dammiga att de var omöjliga att se in igenom. Inga andra bilar syntes till så hon antog att ingen var hemma.

När hon klev ur bilen möttes hon av enträgna hundskall. Hon kastade en blick bortåt boningshuset som var beläget längst bort på den platta tomten. Knotiga äppelträd skymde delvis sikten, de var fulla av lysande röda frukter. Huset var en enkel kalkstensvilla i två plan med gråblått målat kring fönstren. Karin började med att gå bort till den ensamma jycken som skällde förtvivlat. Det visade sig vara en strävhårig brun hanhund av obestämbar ras som sprang oroligt fram och tillbaka i inhägnaden. Karin försökte klappa hunden, men den vågade inte närma sig henne. Stackars krake, tänkte hon. Lämnas ensam på det här sättet. Hon gick bort mot huset. Det såg stängt och avvisande ut. Persiennerna för fönstren på bottenvåningen var nerfällda och det fanns varken utemöbler eller något annat på den stora tomten som vittnade om att människor bodde här. Hade det inte varit för att det stod färska blommor i fönstren på övervåningen hade hon trott att huset var övergivet, eller åtminstone att det var en av de många fastigheter som stod tomma över vintern. Hon antog att ingen var hemma.

Vad betydde Krister Eliassons tidigare relation till kalkonfarmarens syster? tänkte hon medan hon stövlade runt på tomten. Det var i och för sig länge sedan, men de kanske hade återupptagit kontakten efter hans skilsmässa.

Om nu fyndet av plastkassen i hans lägenhet innebar att det fanns ett samband överhuvudtaget. Kassen kunde ha tillhört någon annan eller så hade Vilmas pappa bara handlat där. Plastkassarna med farmens logga gick bara att få tag i på själva farmen hade Karin fått veta, de fanns inte på något annat ställe på ön.

Så Krister eller någon i hans närhet hade i alla fall besökt kalkonfarmen. Frågan var om det hade någon betydelse för fallet.

Hon gick ett varv runt huset och kunde bara konstatera att det verkade dött. Hon klev upp på trappan och kände på ytterdörren. Till hennes förvåning var den öppen. Med viss tvekan klev hon in över tröskeln.

107

– Hallå! ropade hon för säkerhets skull. Är det nån hemma?

Hon stannade i hallen, avvaktade. Inget svar. Klev in ytterligare några steg.

– Hallå! ropade hon igen.

Kikade in i köket. Det var stökigt. Smutsig disk stod överallt, en massa gamla papper och tidningar låg på det smuliga bordet, flaskor och halvfulla glas. Hon lyfte försiktigt på några papper. Hon stelnade till när hon upptäckte vad som låg där under. En färgglad barnbok.

Karin undvek att ta på den, men studerade omslaget. Där framgick att den var för barn mellan tre och fem år. Varför låg den där? I och för sig kunde den tillhöra en vän eller vem som helst, men man kunde inte utesluta möjligheten att Erika varit inblandad i Vilma Eliassons försvinnande. Hon kände Krister Eliasson och hade haft en relation med honom, även om det var många år sedan. Kanske hade de återupptagit den? Karins puls steg. Detta måste undersökas närmare. Hon gick igenom huset, men där fanns inga andra tecken som tydde på att ett barn skulle ha befunnit sig där.

Försiktigt föste hon ner barnboken i en plastpåse och lämnade huset.

Knutas hade satt på radion medan han städade sommarstugan, putsade fönster och torkade golv, dammade och dammsög. Badrummet var han särskilt noga med att rengöra. Han och Karin hade kommit överens om att hon skulle komma upp till stugan efter jobbet och äta middag och sova över. Det var första gången de skulle tillbringa en hel natt tillsammans som ett par. Och det var första gången han skulle ta emot en annan kvinna i sommarstugan. De skulle dela den säng där han tillbringat så många nätter ihop med Line. Det var svårt att föreställa sig.

Knutas mindes knappt när han haft sex senast. Naturligtvis var det tillsammans med Line. Någon gång i våras kanske. Line var den enda kvinna han legat med på mer än tjugo år, kunde henne utan och innan, visste precis vad hon njöt av och hur hon ville ha det. Han hade både längtat efter och varit nervös inför det första sexuella mötet med Karin. Skulle han klara det? Tänk om han inte fick stånd? Eller om han mjuknade mitt under samlaget? Tänk om det kändes fel, om han inte visste hur han skulle smeka henne på rätt sätt? Han hade ingen aning om vad hon tyckte om och inte. Det kändes skrämmande och lockande på samma gång.

När han städat färdigt kom han på att han glömt hämta in tidningen. Han klev i träskorna och gick ut. Elsa hoppade omkring på tomten och jagade löv. Vinden friskade i och på radion hade de varnat för storm. Han öppnade grinden och gick ut på vägen. Traskade fram till raddan med brevlådor som var placerad några hundra meter längre fram. Inte en människa i sikte, Lickershamn var verkligen dött så här års. Deras brevlåda satt längst ute på kanten, den var vackert målad med hav, måsar och fiskebåtar.

Han mindes när Line hade suttit och målat den en varm sommardag för många år sedan. Såg bilden tydligt framför sig. Det långa röda håret uppsatt i en slarvig knut, vit bomullsskjorta över den fotsida kjolen. Hennes skrattande mun, de fräkniga armarna. Han kunde fortfarande känna hennes doft. Kaffemuggen bredvid, målarpenslar och brevlådan uppställd med gamla dagstidningar inunder på det murkna träbordet de använde innan de skaffade de nya utemöblerna. Knutas blev lite gråtmild vid minnet.

Han lyfte på locket till lådan och stack ner handen efter tidningen. Ryckte till så kraftigt att han stapplade flera steg bakåt. Vad i helsike? Han hade känt något

110

mjukt som låg i brevlådan, något obestämbart. Han kunde inte genast säga vad det var. Hjärtat slog hårt. Han såg sig snabbt omkring innan han lyfte på locket och kikade ner på botten. Där låg en död fågel. Det var en fiskmås. Försiktigt lyfte han upp den, den var så lätt i hans händer, vägde nästan ingenting. Halsen var slapp, huvudet hängde, ögonen var slutna. Lite blod på fjädrarna vid halsen, men inte mycket.

Hade den flugit in i lådan själv? Ibland när det blåste stod locket rakt upp och det var inte omöjligt att fågeln störtat rätt in i lådan och slagit ihjäl sig. Eller hade någon placerat den där med avsikt? Det kunde naturligtvis handla om ett pojkstreck, ett hyss. Typiskt ungar att göra sådana saker, tänkte han. De hittar en död fågel och så lägger de den i någons brevlåda. Sådant hade han själv gjort när han var ung grabb. Men om det inte var så? Villrådig blev han stående en stund med den döda fågeln i handen. Vad betydde detta? Antagligen ingenting.

Men olustkänslan satt kvar hela dagen.

Avslöjandet om vad hans fru haft för sig på nätterna rådbråkade hans huvud och gjorde det svårt att koncentrera sig på annat. Anna hade hemlighållit så mycket för honom under så lång tid och han insåg med smärtsam tydlighet att hon inte var den han trodde. Hon hade smusslat och planerat saker bakom hans rygg och låtsats som ingenting. Inte med en min hade hon avslöjat sina hemligheter.

David tvingades erkänna för sig själv att han inte kände henne och den insikten gjorde honom svag och osäker. Fick marken att gunga under hans fötter. Ingenting var som man trodde att det skulle vara. Ingenting. Han hade förbannat sin naivitet och sin blindhet. Ansträngt sig för att agera som vanligt inför Heidi. Det var energikrävande och plågsamt och han visste inte hur länge han skulle stå ut med vetskapen om vad hon höll på med utan att prata med vare sig henne eller någon annan om det. Han insåg att han behövde hjälp. Annars skulle han bli tokig. Att ta upp saken med någon av sina kompisar var inte att tänka på, inte heller arbetskamrater eller familjemedlemmar. Han kunde bara föreställa sig sin brorsas min om han fick veta. Han skulle säkert hånskratta honom rätt i ansiktet. Nej, det måste vara någon annan, någon som stod utanför bekantskapskretsen.

David satt i bilen på väg hem efter att ha lämnat Heidi på förskolan. Men han tvekade, kände plötsligt en stark motvilja mot att vistas under samma tak som Anna.

När han tidigare under morgonen betraktat hennes prydligt vardagsklädda gestalt vid frukostbordet kunde han inte förstå att det var samma person som ägnade sig åt att tillfredsställa okända män på nätterna, helt främmande karlar som onanerade till hennes röst. Där hade hon suttit och hällt upp mjölk i Heidis flingtallrik. Som om allt vore som vanligt.

Han kände hur han höll på att kvävas i bilen, han måste få luft. Istället för att svänga in på deras uppfart fortsatte han fram till kyrkan och parkerade.

Det var en befrielse att komma ut i friska luften. Han tände en cigarett och tittade upp mot kyrktornet, såg hur högt det reste sig mot himlen. Han drog ett djupt bloss. Han hade inte rökt på tio år, Anna hade inspirerat honom att sluta. Nu var det hon som hade fått honom att börja igen.

Svarta moln tornade upp sig och regnet hängde i luften. Han tog några djupa andetag, lystrade sedan till. Tonerna av orgelmusik trängde ut från kyrkan. Någon satt där inne och spelade. Han gick mot entrén, sprätte iväg cigaretten och öppnade den tunga porten.

Musiken slog emot honom, det var ett fantastiskt ljud som fyllde hela kyrkorummet. Bänkarna gapade tomma och han såg kantorns rygg där hon satt vid orgeln. Hon var ensam och spelade tydligen för sig själv. Kanske övade hon bara. I alla händelser var det magnifikt. Han slog sig ner i en av bänkraderna närmast, blundade och njöt. Förlorade sig i musiken. Det var som om den gav tröst och han glömde bort sina bekymmer för en stund.

Han visste inte hur länge han suttit där när han lade märke till att musiken tystnat. Yrvaket tittade han upp och fick syn på kantorn som var kvar vid orgeln och plockade med några papper.

I samma ögonblick som han reste sig märkte han att hon upptäckte honom. Han blev generad, som om han togs på bar gärning för att ha suttit och tjuvlyssnat. Han kände inte kantorn, de hade aldrig presenterats för varandra. Även om han ofta sökte sig till kyrkan, särskilt när han var ledsen och hade problem av olika slag, besökte han aldrig gudstjänsterna. Det gjorde däremot hans fru, nästan varje söndag. Även det kändes falskt just nu med tanke på vad hon sysslade med om nätterna. Ilskan sköt upp inom honom när han tänkte på det, men han försökte mota undan den. Han gick fram till kantorn och hälsade smått förläget.

– Hej, jag menade inte att störa, men det var så vackert när du spelade.

– Tack.

Hon vände sig bort och fumlade med sina papper. Det gjorde honom säkrare. Det var henne han ville prata med.

– Jo, jag skulle vilja komma på ett sånt där... stödsamtal.

– Det går bra att boka, ring bara på telefontiden i morgon. Kyrkoherden tar hand om såna samtal.

– Nej, jag vill prata med dig.

– Jag är bara kantor.

Hon strök bort en hårslinga bakom örat.

– Det spelar väl ingen roll.

– Jag är inte utbildad för sånt.

– Men jag vill prata med just dig, ingen annan. Är vi inte alla lika inför Gud? frågade han och log.

Något hade han i alla fall fått med sig från konfirmationsundervisningen i tonåren.

En antydan till leende i hennes mungipa.

Det hade hunnit bli mörkt innan Karin förmådde sig till att lämna polishuset. Spaningsledningen hade haft ett kortare kvällsmöte och gått igenom allt nytt. Barnboken som hon hittat hemma hos kalkonfarmarens syster skulle undersökas närmare, Karin hade tagit den med sig och lämnat till teknikerna. Vittnet Maria Hagberg som sett en misstänkt man med ryckningar i ansiktet hade tittat igenom bilder på dömda pedofiler utan att kunna peka ut någon, men efterforskningarna fortsatte.

Att de inte kom någon vart när det gällde att lokalisera Vilma Eliasson gjorde att Karin hade svårt att slita sig från jobbet. Var befann sig den lilla flickan? Vad i all världen hade hon råkat ut för? Hon kände sig maktlös och frustrerad, men insåg att det inte var så mycket mer hon själv kunde bidra med. Åtminstone inte i kväll.

Innan hon lämnade Visby ringde hon Anders. Han

höll på att förbereda maten. Karin hade aldrig varit i hans sommarstuga, men nu var hon på väg. Samtidigt som hon hade svårt att släppa tankarna på jobbet såg hon fram emot att få ligga i hans famn. Anders hade övertalat henne att komma, även om det blev sent. Kanske behövde hon byta miljö och tänka på annat en kväll. Samla nya krafter inför morgondagen. En liten flicka som var försvunnen tog definitivt på psyket.

Karin svängde av mot Lickershamn, passerade det säregna raukområdet som låg en bra bit uppe på land och fortsatte ner mot havet. Så här i mörkret skymtade hon bara den lilla hamnen, sjöbodarna och den karaktäristiska rauken Jungfrun som sköt ut från en klippa och vakade över hamnens inlopp. Det var Gotlands högsta rauk som sträckte sig hela tjugosju meter över havet. Hon tänkte på den sägen som gett rauken dess namn. Den handlade om en jungfru och hennes älskade som störtade ner i havet, just på denna plats.

Hon hittade fram till huset efter Anders detaljerade beskrivning. Det kom rök ur skorstenen. Hon svängde in på tomten och parkerade. Såg honom vinka i fönstret. Han kom ut på farstukvisten innan hon ens hunnit ur bilen. Kramade henne tafatt. Tog hennes väska och gick före in i huset.

– Är du trött?

– Nejdå, ingen fara.

– Gick det bra att hitta hit?

– Visst, det var lätt.

– Vill du ha ett glas vin?

– Ja, tack.

– Är du hungrig? Vill du äta på en gång eller kan du vänta lite?

– Jag kan vänta, absolut.

Han bombarderade henne med frågor, som om han var rädd att det skulle uppstå en pinsam tystnad. Han räckte henne ett glas rött och hon tyckte att han tittade på henne på ett särskilt sätt. Som om han tänkte på samma sak som hon.

– Vill du se huset först?

– Ja, gärna.

– Inte för att det är så mycket att se egentligen, sa han och log lite generat.

Han gick före henne och visade köket, vardagsrummet och ett arbetsrum på bottenvåningen. Sedan fortsatte de uppför trappan. Den knarrade under deras fötter. Hennes vin skvimpade i glaset. Tapeten i hallen var blommig, romantiskt gammaldags. Trappstegen var täckta av en långsmal trasmatta. Den väckte minnen av hennes föräldrar.

På övervåningen fanns en liten hall, ett badrum med havsutsikt och tre sovrum. De passerade barnens rum och gick in och ställde sig i den större sängkammaren. Plötsligt förändrades stämningen. Anders höll blicken fast i hennes och räckte fram sitt glas.

– Skål, sa han. Jag är glad att du kom.

– Skål.

Hon hörde att hennes röst var tjock. Harklade sig och såg sig om. En bred dubbelsäng med rottinggavel.

Överkastet var prydligt undanvikt. Sängkläderna var vita med blanka ränder, de såg nytvättade och fluffiga ut. Hade han förberett för hennes skull? Tanken fick hennes kinder att rodna.

Vinet var mjukt och fylligt. Hon tog ännu en klunk. Kände sig bensvag. Han närmade sig henne, ställde sig alldeles framför. Så stor han var i det förhållandevis trånga rummet. Och så lång. Hon tittade upp på honom. Nådde honom bara till bröstkorgen. Han tog hennes hand, förde den till sina läppar. Hon vågade knappast andas.

– Är du hungrig nu då? frågade han.

– Jo, lite sugen är jag allt, fick hon ur sig och förbannade sig själv för att hon lät så töntig.

Sugen. Vilket ordval. I den situation de befann sig i kunde det ge fel associationer.

Under middagen satt de i stearinljusens sken och njöt av den goda maten. Utanför fönstret var det kolsvart, vinden tjöt kring knuten och havet dånade. Det hade blåst upp under kvällen. Stormen gjorde att det kändes ännu mysigare och tryggare att sitta inne i värmen med Anders. Han hade lagat oxfilé med potatisgratäng och stekt kantareller i smör. Gjort en tomatsallad med rödlök och färsk basilika. Karin var imponerad, men åt mindre än hon brukade. Däremot drack hon desto mer. Det var väl nervositeten. Han frågade om utredningen, men hon svarade enstavigt. Orkade inte prata om den just nu. Ville bara tänka på dem, vila i stunden.

Samtalet gick trögare än vanligt. Som om båda tänkte på vad som väntade.

När de ätit färdigt tystnade de med ens och satt där bara på var sida om bordet och såg på varandra. Hon tyckte han var snygg, om än lite till åren. Men det gjorde henne inget. Han var lång och bredaxlad, ansiktet var fårat men hade en frisk färg och håret var tjockt och blankt, bara en antydan till grått vid tinningarna. Han tog hennes händer och smekte dem sakta.

– Vet du vad jag vill nu? frågade han lågt med sin allvarliga blick i hennes.

Karin skakade på huvudet.

– Att vi går upp och lägger oss och kramas. Jag har längtat efter det. Vill du?

Hon nickade. Kunde inte förmå sig till att säga något.

Först måste hon låna toaletten. Hon kissade och tvättade av sig lite extra. När hon var färdig gick hon och lade sig på sängen. Hon hörde att han också gick på toaletten och dröjde där inne en stund. Hon låg med öppna ögon och tittade rakt ut i mörkret. Lampan var släckt och det var skönt just nu. Det var tillräckligt stor anspänning ändå.

Så dök han upp i dörröppningen och hjärtat slog ett extra slag. I ljuset från hallen anade hon hans konturer. Vad ståtlig och fin han var. Hon hade inte vågat klä av sig. Låg bara där och väntade. Anders kom närmare, knäppte fumligt upp sin skjorta och klev ur jeansen. Sedan lade han sig bredvid henne. Det var tyst i rummet. Där låg de, ansikte mot ansikte. Orörliga först. Hon hörde sin egen häftiga andhämtning. Sedan sträckte han ut en hand, lät fingertopparna stryka hennes kind.

– Min Karin, viskade han rätt ut i mörkret. Kom till mig.

Och det gjorde hon.

Sommaren hade varit en pina. Den första i avsaknad av föräldrarnas sällskap. Även om de mest inneburit en belastning blev hennes tillvaro plågsam, näst intill outhärdlig, utan dem. Hon hade varit nöjd bara de suttit där i soffan, tätt intill varandra, som de brukade. Hon kunde se på dem, betrakta dem, som då hon var barn och de var oåtkomliga vuxna: bara att de fanns där i huset, rörde sig, andades. Gav ljud ifrån sig, så att hon slapp vara ensam.

Ensamheten blev än mer påtaglig under den ljusa årstiden. Jobbet distraherade henne inte så mycket som vanligt, där fanns knappt något att göra. Det rådde sommarstiltje och hon hade fått en hel del ledighet. Semesterveckor hon inte hade frågat efter, än mindre behövt. Bara en lång räcka dagar av ingenting.

När hon gav sig iväg hemifrån för att uträtta ärenden såg hon semestrande familjer överallt, de verkade så lyckliga i sin gemenskap, så upptagna av varandra.

Som om inget annat existerade än de själva. Eller alla par som vänslades och gick hand i hand. Det var näst intill outhärdligt. Till råga på allt hade sommaren varit ovanligt varm och hon som egentligen njöt av att bada, förutsatt att hon var ensam, kom inte iväg. Det var som om all luft gått ur henne. Vissa dagar var hon näst intill apatisk och orkade inte ens ta sig ur sängen. Hade någon saknat henne om hon bara blivit liggande där? Om hon bara slutit sina ögon och upphört med att andas?

Kattan fick sina ungar men tvärtemot vad hon hoppats lindrade det inte hennes ensamhet. Snarare tvärtom. Istället för att bry sig om henne ägnade nu kattan all sin tid åt ungarna och låg och slickade på de små råttliknande krypen. De diade henne nästan oavbrutet när de inte sov. Kom hon för nära fräste kattan åt henne. Hon blev tom inuti, hade ont av det. Hon älskade katten högre än den älskade henne, hon älskade katten mer än hon själv någonsin blivit älskad.

Hon satt vid köksfönstret och tittade ut i kvällningen. Åt ännu en ensam middag. Köttbullar med potatis och brun sås. Precis som dagen före och dagen före det. Köttbullar med potatis och brun sås, ensam.

Utanför fönstret höll landskapet på att förändras. Trädens löv hade börjat ändra färg. De tidiga höstäpplena hängde tunga på grenarna. Hon saknade ork att ta hand om dem. Snart skulle de också falla till marken och förmultna, precis som hennes föräldrar. Av jord är du kommen, jord ska du åter varda. En dag skulle det bli hennes tur. En dag skulle hon bli jord. En dag skulle hon också bli något. En dag skulle hon bli som alla andra, allt annat, jord.

Församlingshemmet var inrymt i ett gammalt vackert sekelskifteshus. Flera salar låg i fil med stora fönster ut mot trädgården. På dörren stod hennes namn: *Miriam Kviberg.*

– Vill du ha kaffe? frågade kantorn.

– Nej tack, Miriam. Jag har redan druckit, ursäktade han sig.

Det kändes bra att säga hennes namn. Hon hette Miriam, han tyckte om namnets klang, Miriam. Det kändes rätt att prata med just henne.

Det hade blivit lite för mycket föregående kväll. Han hade suttit hemma ensam och druckit. Men det var en tröst, tänkte han. Han dränkte sina sorger.

Hon bad honom att slå sig ner. Fåtöljen var ganska obekväm. Det kanske fanns en mening med det, tänkte han. Man skulle koncentrera sig på samtalet. Det fick honom att känna sig trygg.

Han gissade att kantorn var i femtiofemårsåldern. Ansiktet var brett. Hon var mörk under ögonen på ett sådant sätt att det såg ut som om hon inte sovit på länge. Hyn var ojämn och han lade märke till att hennes händer var grova och valkiga, som om hon ägnade sig åt kroppsarbete när hon inte var i kyrkan. Håret var gråsprängt och uppsatt i en hård knut i nacken. Ändå tyckte han att hon på något sätt var vacker.

Hon var klädd i svart kjol, grå tröja och en vinröd sjal svept om axlarna. Kring halsen hängde ett silversmycke med ett kors. Han mötte hennes blick.

– Vad vill du prata om? frågade hon och log osäkert, ovan vid situationen.

– Jag är gift med Anna Forss, du kanske vet vem det är? Hon brukar komma på gudstjänsterna.

– Jag vet vem Anna är.

– Vi har varit gifta i tio år och har en fyraårig dotter. Vi bor alldeles i närheten av kyrkan i stenvillan borta vid lekplatsen. Vi har inte bott här så länge, tidigare bodde vi i Slite men vi ville flytta söderut så för ett år sen köpte vi huset.

– Det är väl familjen Larssons gamla bostad?

– Just det.

Han betraktade kantorn under tystnad en stund. Hon ingav förtroende på något vis. Hennes lågmäldhet gjorde honom lugn. Bara att sitta där kändes rätt, även om han inte ens hade börjat berätta något än.

Trots att det kändes pinsamt valde han att gå rakt på sak.

– Jo, fortsatte han. Det är så att jag och min fru har problem. Eller snarare, min fru har problem.

Kantorn knäppte händerna och nickade till honom att fortsätta. Han berättade om det nattliga telefonsamtalet och om hur han upptäckt pärmen som avslöjade allt. Kantorn rörde inte en min.

– Och nu vågar jag inte ens prata med henne om det, avslutade han. Jag är rädd för hur hon kommer att reagera.

– Du måste ändå göra det, tror jag, sa kantorn. Konfrontera henne med saken. Fråga henne varför hon ägnar sig åt detta.

– Vi brukar inte prata så öppet med varandra, förklarade David. Jag är rädd för att hon kommer att lämna mig om jag berättar för henne att jag vet vad hon håller på med. Jag älskar henne. Jag kan inte tänka mig ett liv utan henne. Vad ska jag göra?

Han gav henne en förtvivlad blick. Kantorn såg ut att tänka efter en stund.

– Vet du hur länge detta har pågått?

Han skakade på huvudet.

– Ingen aning. Jag jobbar ju natt på gummifabriken i Hemse och jag har ingen möjlighet att kontrollera vad hon har för sig om nätterna. Hon kan ha hållit på i flera år.

– Hon borde ju tjäna en hel del pengar. Har du inte märkt nåt av det?

– Inte ett dugg. Och vi har det väldigt knackigt, det är nätt och jämnt att vi får ihop till bolånen varje månad.

– Vad tror du att hon gör med pengarna?

– Jag vet inte. Hon kanske stoppar undan dem och sparar för egen del. Hon kanske planerar att lämna mig!

– Så behöver det inte vara, sa kantorn lugnande. Det kan handla om nånting helt annat. Du har alltså ingen idé om varför hon ägnar sig åt den här… verksamheten?

– Ingen aning, jag vet inte. Kanske är det för att få bekräftelse?

Han tystnade och tittade förhoppningsfullt på henne.

– Vad tror du själv? frågade hon.

– Kanske. Det blir förstås inte så mycket sånt i vardagen. Man kämpar på med jobbet, huset, ekonomin, Heidi som kräver mycket uppmärksamhet och allt som måste göras. Man hinner inte med sånt där. Det är så mycket annat som pockar på. Jag vet inte… kanske kan jag bli bättre på det, jag menar… att ge henne mer bekräftelse.

– Det kan vara värt ett försök. Alla vill vi känna oss älskade. Och inte bara av Gud.

Ännu en sömnlös natt hade passerat. Eva Eliasson vankade oroligt av och an i lägenheten med en dov tyngd i magen. Tände cigarett efter cigarett. Nu rökte hon till och med inomhus, brydde sig inte. Var tvungen eftersom hon hade blossat i stort sett oavbrutet sedan Vilma försvann.

Vilma hade varit borta i tre dygn och polisen verkade inte komma någon vart. Fortfarande hade de inte hittat den misstänkte mannen med ryckningar i ansiktet och Eva började tvivla på om de någonsin skulle göra det. Det kunde vara vem som helst, någon som bara gick förbi, man visste väl inte vad den där tanten i bilen hade kunnat inbilla sig. Kanske bodde han inte ens här på ön, det var väl därför ingen kände igen signalementet.

Hon tittade in i Vilmas rum. Gick in och lade sig på dotterns säng och såg sig omkring. Gosedjuren i olika utföranden som stod uppradade på hyllorna, de rosa plastbackarna med legobitar och andra leksaker. Den stora dockan som hon fått av mormor som satt med uppspärrade ögon på stolen i hörnet. Över stolsryggen hängde ett par prickiga strumpbyxor i storlek mini-mini. Bomullsgardinerna med små änglar som hennes syster hade sytt. Hon mindes hur förtjusta de hade blivit när de hittat tyget i affären. Det var när Vilma var nyfödd. Då, under den lyckliga tiden. När hon och Krister fortfarande hade det bra tillsammans. Då hon drömde om flera syskon till Vilma, förbättrad ekonomi så småningom så att de kunde köpa ett hus på landet. Då fanns fortfarande drömmen om familjelycka. Och nu låg hon här i sin dotters säng och hade inte en aning om vad Vilma hade råkat ut för. Eva vågade inte ens tänka på vad det skulle kunna vara. Och som hon förbannade sig själv för att hon låtit Vilma leka utom synhåll. Gång på gång återkom hon till det. Skulden var plågsam att bära.

Plötsligt kändes det som om väggarna i lägenheten krympte, hon fick ingen luft. Hon måste ut. Förmådde inte stanna där med sin ångest och frustration. Eva reste sig tvärt och lämnade det ombonade barnrummet. Krängde på sig en jacka, tog handväskan och nycklarna och lämnade lägenheten.

Hon tog en omväg och cyklade ner till havet för att kunna tänka klarare. Följde cykelvägen och tittade ut på de skummande vågorna. Nere vid strandkanten blåste det mycket mer och hon fick ta i ordentligt för att komma framåt. Här ute kändes det i alla fall lite bättre

130

än i lägenhetens instängdhet. Hon såg Vilmas ansikte framför sig. De bruna ögonen, det blonda håret, den lilla munnen. Hon var så speciell, Vilma. För det mesta verkade hon nöjd och belåten. Trots att hennes unga liv inte hade varit så roligt alla gånger. Vid flera tillfällen hade hon och Krister bråkat så Vilma hade hört. Hon var medveten om att hon ibland också grälat orimligt mycket på Vilma och tagit henne lite för hårt i armen när hon själv varit trött och stressad. Så dåligt samvete hon hade för det nu. Om hon bara hade kunnat skruva tillbaka tiden, om hon bara hade gjort allt annorlunda. Det kändes otroligt tarvligt att hon varit så upptagen med att lyssna på Katjas utläggningar om sin senaste älskare att hon missat att hålla koll på sitt eget barn. Hon såg ut över vågorna som slog emot varandra i våldsamma kaskader ute på havet. Hur skulle hon kunna fortsätta sitt liv om inte Vilma kom tillrätta? Det kändes som om allt hopp var ute.

På torsdagsmorgonen vaknade Karin tidigt. Först visste hon inte var hon befann sig. En blekrosa tapet, en blommig bomullsgardin och snedtak. Så hörde hon andetagen helt nära och mindes vad hon upplevt föregående kväll. Kyssarna, smekningarna, beröringen. Hon genomfors av en behaglig känsla av tillfredsställelse. Att man kunde känna så här.

Hon vände sig mot Anders och tittade in i hans breda rygg. Sträckte ut sin hand och vidrörde honom försiktigt. Blev lite gråtig av tacksamhet och lycka. Om jag hade vetat vilken älskare han var, tänkte hon. Då hade jag aldrig kunnat vara så tålmodig. Tanken fick henne att skratta till. Han vaknade och vände sig om.

– Min älskling, sa han och lade armarna om henne, drog henne intill sig. Är du vaken?

– Ja, sa hon. Jag måste gå upp snart.

– Jag förstår. Ta en dusch du, så fixar jag frukost. Jag har lagt fram en handduk till dig.

– Tack.

Hon klev ur sängen och brydde sig inte om att hon var naken. Kände sig så morsk att hon till och med vände sig mot honom.

– I natt var det lite svårt att tro att du är sjukskriven, sa hon och log innan hon sträckte sig efter handduken och försvann in i badrummet.

Tillbaka i polishuset fanns ingen tid till att tänka mer på Anders eller den gångna natten. Hon klev in genom glasdörrarna till kriminalavdelningen och möttes av Thomas Wittberg som med iver i blicken kom emot henne i korridoren.

Karin hade satt Wittberg på att lämna barnboken till teknikerna och att kolla upp Erika Ahlström och de övriga anställda på kalkonfarmen.

Hon lade märke till att kollegan höll en plastpåse med barnboken i handen.

– Den här, sa han och höll upp påsen i luften, har fingeravtryck från både Krister och Eva Eliasson. Dessutom från ett litet barn, kanske Vilma Eliasson. Även om vi inte tagit hennes fingeravtryck så lär det inte vara en alltför vild gissning att det är hennes.

– Är det sant? Okej, vi kallar in Erika Ahlström och Krister Eliasson till förhör så fort som möjligt.

– Det låter som en mycket bra idé. Jag har också hittat mannen med ryckningarna i kinden som Maria Hagberg såg på Södra Murgatan.

– Har du? utbrast Karin. Hur då?

– Han heter Hasse Johnsson och bor på fastlandet, i Västervik närmare bestämt. Han var bara på Gotland tillfälligt och hälsade på en kompis.

– Och vem är han?

Wittberg fick ett konstigt uttryck i ögonen. Han gjorde en paus innan han svarade.

– Han har varit misstänkt för sexbrott mot barn. Han förekom i en utredning där han anklagades av sin före detta sambo för att ha begått övergrepp mot hennes dotter, men utredningen lades ner. Det var rätt många år sen, men ändå.

– Jäklar. Har vi tagit in honom?

– Våra kolleger i Västervik är på väg till hans bostad i detta nu.

Kantorn plockade bort några torkade blad från en av blommorna på fönsterbänken innan de slog sig ner i samtalsrummet. David kände till sin förargelse att han luktade sprit. Det hade blivit för mycket även i går. Snabbt grävde han fram ett tuggummi ur fickan och stoppade i munnen. Tog sedan flera klunkar av vattnet som stod på bordet mellan dem.

I dag var Miriam Kviberg klädd i en grå yllekjol och röd tröja. Om halsen hängde korset i en lång kedja. Han betraktade hennes ansikte medan hon satte sig tillrätta i den hårda fåtöljen. Kantorn utstrålade inte direkt någon kvinnlighet. Kanske är hon lesbisk, tänkte han och skämdes i nästa sekund för att han funderade över kantorns sexuella läggning. Hon var en kyrkans kvinna och hade tagit emot honom för ännu ett stödsamtal.

Nu betraktade hon honom uppmärksamt, det kändes nästan som om hon såg rätt igenom honom. David undrade om tuggummit hjälpte, prövade försynt att sniffa på sin handled och insåg att hela kroppen utsöndrade en lukt av alltför riklig och alltför sen alkoholförtäring föregående kväll. Det här börjar inte bra, tänkte han, och ville helst fly därifrån.

– Hur har det gått sen sist?

Miriam Kviberg log uppmuntrande.

– Inte som jag hade tänkt, svarade han urskuldande. Jag har inte sagt nåt till Anna än. Jag har inte kommit mig för bara. Det har inte blivit nåt tillfälle.

– Inget tillfälle? upprepade hon.

– Jag vet att det låter dumt, men det har inte varit nåt bra läge. Jag har jobbat mycket och Anna har verkat trött och irriterad. Jag har inte velat göra saker värre än de redan är.

Han drog handen genom håret och kände återigen en pust av alkohol. Fan också, att han inte tänkt på det innan han bälgade i sig. Att han skulle behöva sitta här med kantorn och skämmas dagen efter. Vad gav det för intryck?

Han fortsatte:

– Jag är orolig för Heidi också, vår dotter. I vanliga fall är hon intensiv, oftast glad, väldigt aktiv och pratig, men på sistone har hon varit gnällig och mycket grinigare. Jag tror hon känner på sig nåt. Och så har vi väl ingen direkt energi längre, varken jag eller Anna. Hon blir väl sliten av sitt så kallade arbete på nätterna och min oro gör att jag inte orkar ägna mig åt Heidi som förr.

Det blev tyst en stund. Kantorn ändrade ställning, plötsligt såg hon besvärad ut.

– Det är viktigt för barn att de känner sig trygga i hemmet. Jag måste fråga en sak – hur har du det med alkoholen?

Aj då. Där kom frågan som han hoppats slippa. Han tvekade kort innan han svarade.

– Det har väl blivit lite mycket på sistone.

– Det är nåt du behöver fundera över, sa kantorn. Du kanske vet att vi har ett stödprogram för människor med alkoholproblem inom kyrkan?

– Det visste jag inte, sa han svagt och kände att han var röd om öronen.

Miriam reste sig, gick fram till en bokhylla utefter väggen och drog fram en broschyr som hon räckte över.

– Läs igenom den här när du kommit hem.

– Javisst... tack.

Hon sjönk återigen ner i fåtöljen, knäppte sina händer och betraktade honom allvarsamt.

– Det låter som om du behöver göra nåt åt din situation omgående. Inte minst för barnets skull. Du måste börja med att prata med din fru om hennes... sysselsättning. Ni måste reda ut saker och ting.

– Jag vet, suckade han. Jag ska, jag lovar verkligen, jag ska prata med henne.

– Du ska göra det, inte bara för din egen skull, utan också för din dotters.

– Jo, jag vet.

Han suckade tungt. De satt tysta en stund.

– Vad skulle du vilja? frågade kantorn till sist.

David tittade på henne och tänkte efter.

– Jag skulle vilja att jag och Anna fick tid för oss själva att reda ut saker och ting. Kanske åka bort på en resa, utan Heidi. Att vi fick vara ifred som två vuxna människor. Heidi är en ganska krävande liten tjej och vi har svårt att få barnvakt, är nästan aldrig för oss själva. Det är slitsamt för oss bägge. Vi skulle behöva hitta tillbaka till det vi hade förut, innan vi fick barn.

– Jag förstår, sa kantorn. Då kanske det är precis det ni ska göra. Kanske ni skulle må bra av att vara ensamma ett tag. Att det bara är ni två.

Knutas hade sovit länge sedan Karin åkt till jobbet, antagligen var han uttröttad efter nattens upplevelser. Han var inte van vid sådant här. Det kändes både härligt och skrämmande att plötsligt ägna sig åt en ny kvinna. Känslorna böljade fram och tillbaka inom honom, han var inte sig själv.

Drack sitt morgonkaffe och tittade ut genom fönstret, vinden hade mojnat och havet låg blått och ganska stilla. Solen bröt igenom molnen och lyste på träden som skiftade i olika färger. Hösten hade kommit.

Han kände sig rastlös och bestämde sig för att ta en promenad, klev i gummistövlarna och drog på sig en jacka. Tänkte släppa ut Elsa, men hon var inte vid dörren som hon brukade varje morgon. Han kallade på henne. Inget hände.

Han försökte erinra sig om katten ens kommit in i huset i går. Han mindes inte, var så tankspridd nuförtiden. Sedan hade han förstås blivit distraherad av

Karins närvaro. Antagligen hade Elsa stannat ute hela natten, stackaren. Han öppnade ytterdörren och trodde att hon skulle slinka in med en gång. Men nej, hon syntes inte till. Han tog en runda på tomten, gick ner till grinden och tittade bortåt vägen, ropade och försökte locka henne till sig. Men katten var och förblev borta. Hon kanske hade blivit insläppt hos någon borta i byn över natten.

Alla som bodde permanent i Lickershamn kände till Knutas katt, eftersom hon brukade gå med honom på hans promenader. Som en hund följde Elsa med honom vart han än gick. Därför var det ovanligt att hon inte kom när han ropade. Nåväl, tänkte han, förr eller senare dyker hon väl upp.

Gräsmattan var redan täckt av löv som fallit under de senaste dagarnas blåst. Kanske skulle han kratta först och främst, passa på nu medan det var relativt stilla.

Han gick ut i boden och hämtade lövkorgen och en räfsa.

Började arbeta med långa, kraftiga tag. Höll på en god stund innan han kände att det var dags för en paus. Satte sig på trappen till husets entré och plockade fram pipan. Stoppade den omsorgsfullt medan han såg ut över tomten, vägen och havet längre bort. Var sjutton höll Elsa hus?

Han skulle just tända pipan när han upptäckte något som låg på farstukvistens stengolv. Det klack till i honom. Vad i helvete? Han böjde sig långsamt fram.

140

En röd läderrem med ett litet spänne, en berlock med namn och adress. Elsas halsband låg där, prydligt och fint. Han plockade upp det och betraktade det förundrat. Jo, det var hennes. Men var i hela världen fanns katten?

Eva Eliasson andades tungt där hon cyklade utefter strandkanten. Samvetskvalen höll på att kväva henne. Hennes försummelse var oförlåtlig, särskilt med tanke på vad som hänt. Allt som drabbade Vilma nu var hennes fel, bara hennes. Hon vred huvudet mot havet och skrek rätt ut i vinden medan hon fortsatte trampa. Tårarna gjorde att hon nästan inte såg vart hon cyklade. Brydde sig inte om vad människorna hon mötte tänkte.

Hon bestämde sig för att cykla till salongen. Hon hade inte varit där sedan i måndags morse. Kanske kunde hon väcka ett minne till liv. Kunde det finnas något hon förbisett? En detalj som hon förträngt, men som kanske kom tillbaka när hon återvände till miljön? Även om det säkert skulle vara påfrestande så kunde det vara värt ett försök.

När hon kom cyklande in på Södra Murgatan fick hon obehagliga minnesbilder från måndagsmorgonen.

Det var lika vackert väder nu som då. Solen sken, fåglarna kvittrade och himlen var oskuldsfullt blå. Här uppe bland husen blåste det ingenting, det var nästan vindstilla. Bara tre dagar tidigare hade hon cyklat här i godan ro på väg till jobbet. Intet ont anande om vad som skulle inträffa bara någon timme senare. Vilma hade suttit i barnstolen på pakethållaren. Nu var den tom. Hur kunde hela tillvaron rämna på ett ynka ögonblick?

Väl framme vid salongen klev hon av cykeln och ledde in den på baksidan av byggnaden, placerade den i cykelstället. Hon såg sig om inne på gården. Där fanns flera låga byggnader med små dörrar som ledde till olika förråd. Längre bort skymtade Adelsgatan mellan två hus. Det var en av Visbys största affärsgator och där passerade alltid många människor. Baksidan på ett av gatans många caféer, några bord och stolar upptravade mot en vägg, en stapel plastbackar med tomma öl- och läskflaskor. Hon såg sin lilla flicka framför sig. Vad hade hänt Vilma?

Inne på salongen satt en okänd kvinna och fick håret färgat. Hon gav henne en medlidsam blick och pressade fram ett osäkert leende.

Eva försvann in bakom väggen till hörnan för manikyr. Slog sig ner på stolen där hon suttit när hon insåg att hon inte hört Vilma på ett tag. Försökte tänka sig tillbaka till den där morgonen. Hur lång tid hade i själva verket förflutit innan hon upptäckte att Vilma var borta? Hur många minuter handlade det om? Fem, eller kanske till och med tio? En kvart? Hon och Katja hade varit så uppslukade av sitt samtal och då var det svårt att bedöma tiden.

Hon blev sittande där en bra stund och var djupt försjunken i egna tankar när hon plötsligt hörde ett rop som tog henne tillbaka till verkligheten. Det kom utifrån gatan. Först brydde hon sig inte om det, men i nästa ögonblick insåg hon att det var hennes kollega, frisören, som ropade hennes namn. Hon lät upphetsad på rösten. Eva reste sig och kollegan ropade igen.

– Eva, kom hit!

Eva skyndade sig fram mot dörröppningen. Hon tvärstannade.

När hon såg vad som pågick där ute var det som om världen stillnade. Allt stannade av. Hon drog häftigt efter andan. Det var först svårt att ta in. Allt skedde som i slowmotion. Hennes kollega på huk i gräset. Där satt en liten flicka med ljusblå klänning och rosa kalasbyxor, jacka och skor hon inte kände igen. Blont hår i flätor. Leksakskanin i handen. Först förstod hon inte. Trodde att hon drömde. Några sekunder senare rusade hon fram mot flickan. Flämtade, snyftade. Där var hon. Livs levande, till synes helt oskadd. Eva lyfte upp den lilla, mjuka kroppen. Tryckte den hårt emot sin. Det lilla hjärtat som slog.

Vilma hade kommit tillbaka.

Hon vaknade ensam i det tomma huset. Ingen var där för att säga god morgon, ingen pockade på hennes uppmärksamhet. Ingen brydde sig om hon fanns där eller inte. Inte en enda människa som märkte om hon gick upp eller låg kvar i sängen. Det spelade ingen roll vad hon gjorde.

De antika möblerna stod som reliker över föräldrarnas liv. De hade aldrig varit hennes och var det inte nu heller.

Hon gick ut i köket, stengolvet kändes kallt under hennes bara fötter. Hon letade rätt på de varma tofflor hon fått av föräldrarna i julas. Det enda ljud som hördes var köksklockan på väggen som tickade fram minuterna. All denna tid. Till ingen nytta. Tiden som rann mellan hennes fingrar, som sand, blåste bort med vinden utan att hon klarade att hålla fast den. Minuterna, tiden, sanden mellan fingrarna. Tiden som inte hade gett henne något annat än åldrandet.

Hon hällde upp ett glas vatten ur kranen och satte sig vid köksbordet. Att inte vara älskad var hon van vid. Men nu var hon inte ens behövd. Ingen frågade efter henne längre. Förut hade ropen irriterat henne, men numera saknade hon sin mammas enträgna uppmaningar.

Huset tedde sig annorlunda sedan hon blivit ensam. Ibland tyckte hon sig höra sina föräldrars röster. Mors spröda stämma som ändå lyckades genomborra väggarna. Samtidigt krävande, med en underton av missbelåtenhet, som om hon alltid hade negativa förväntningar. Fars röst, dov, sträng och myndig, van vid att få som han ville. Fortfarande hoppade hon till varje gång hon förnam den. Ett lätt obehag, en känsla av att vad hon än gjorde skulle hon misslyckas till en del, det skulle aldrig vara tillräckligt bra. De var aldrig helt nöjda med henne.

Kattan låg och sov med ungarna i en korg i köket. Hon sjönk ner på en av köksstolarna och betraktade dem. Fyra ungar hade det blivit, i olika färger. Inte ens kattan hade tid med henne längre. Hon ägnade sig helt åt sina ungar, ibland fick hon för sig att gömma dem, bar dem i munnen i nackskinnet och gömde dem i en garderob eller ett öppet skåp, eller i någon av sängarna. Där låg de nu och sov så fridfullt. Katten vaknade och reste sig. Hon försvann in på toaletten och det hördes hur hon krafsade runt i kattlådan.

Snabbt reste hon sig, lyfte upp korgen med kattungarna, skyndade uppför trappan, ställde korgen överst

i en av garderoberna. Stängde sovrumsdörren ordent-
ligt. Gick nerför trappan. Kände sig lite uppiggad. Nu
kanske det skulle bli skillnad.

Efter nyheten om att Vilma Eliasson kommit till-rätta bestämde sig Knutas för att lämna stugan och bege sig till polishuset. När han klev in till spaningsledningens möte på kriminalavdelningen kände han hur mycket han saknade jobbet. Alla verkade glada över att se honom.

Han kastade en blick på Karin och det spratt omedelbart till i bröstet. Samma morgon hade hon legat i hans armar och nu satt hon där, på andra sidan bordet i samma kläder hon haft dagen före. Det mörka håret lockade sig lite vid pannan, hennes läppar var fylligare än han tänkt på tidigare. Han kunde känna dem mot sina egna. Hennes späda men starka kropp, han såg henne naken framför sig. Intimiteten de delat och nu var hon närvarande i rummet, som en av de andra medarbetarna.

Hon såg på honom, smålog, de bruna ögonen gnistrade. Det måste synas, tänkte han, alla måste märka.

Han kände sig bensvag och sjönk ner på stolen. Försökte koncentrera sig på annat.

Där satt kriminalinspektör Thomas Wittberg, fortfarande solbränd efter sommaren i ljus linneskjorta som smet åt kring de vältränade armarna. Ryktet sa att han sedan en tid tillbaka hade ihop det med en tjugotvååring. När det gällde Wittberg och kvinnor var det inget som förvånade Knutas längre. Som vanligt satt han och smågnabbades med Karin. De där två. De var som kivande syskon, både älskade och hatade varandra. Karins glugg mellan tänderna när hon skrattade, vad vacker hon var. Och så den temperamentsfulle kriminalteknikern Erik Sohlman som just nu satt och diskuterade den försvunna treåringens återkomst med presstalesmannen Lars Norrby.

Knutas slog sig inte ner på sin vanliga plats vid kortsidan, trots att den platsen stod tom. Nu var det Karin som höll i rodret. Fast han hoppades att det snart skulle vara slut med det. För första gången på länge kände han ett verkligt sug efter att få arbeta. Han undrade hur det skulle gå för honom och Karin att vara älskande och arbetskolleger.

Knappt hade han hunnit sätta sig förrän dörren öppnades och några av de övriga medarbetarna på kriminalavdelningen bar in en kaffebricka och en stor gräddtårta under kraftigt jubel från de församlade kring bordet.

– Men vad är det här? utbrast Knutas lyckligt. Är ni så glada över att ha mig tillbaka?

149

Arbetskamraterna med kaffebrickan stannade upp och såg för ett ögonblick vilsna ut.

– Nja, det här är från länspolismästaren. För att Vilma Eliasson är återfunnen.

En pinsam tystnad uppstod. Inte bara för Knutas misstolkning, även för det faktum att det ju inte var tack vare polisens insatser som Vilma kommit tillrätta.

– Vi kan väl säga att det är firande av båda händelserna, sa Karin. Det ena utesluter väl inte det andra. Men även om Vilma är tillbaka är ju fallet långt ifrån uppklarat.

Hon reste sig från sin plats bredvid Wittberg och ställde sig vid kortsidan av bordet. Såg allvarligt på sina medarbetare.

– Vilma Eliasson hittades visserligen välbehållen i morse utanför salongen på Södra Murgatan. Hon var hel och ren och klädd i samma kläder som vid försvinnandet, förutom skorna som var nya. Hon verkar ha fått mat och vatten och hon hade inga synliga skador. Nån hade lämnat henne där ungefär vid samma tidpunkt som när hon försvann i måndags. Vem det är har vi än så länge ingen aning om. Vi vet inte var hon befunnit sig under den här tiden, inte heller vad hon har varit med om. Framför allt har vi fortfarande inte en susning om vem det var som rövade bort henne eller i vilket syfte. Fallet är alltså långt ifrån löst.

– Hur mår flickan? frågade Norrby som redan börjat ta för sig av tårtan.

– Efter omständigheterna bra. Hon har, som sagt,

inga fysiska skador vad man kan se, men hon ska genomgå en grundlig läkarundersökning på lasarettet. Hon var vid god fysisk kondition när hon hittades.

– Har hon kunnat säga nåt? frågade Sohlman.

– Nej, vi hoppas förstås på att hon ska berätta, men hittills har hon inte sagt ett ord.

– Inte ett enda? utbrast Wittberg förvånat. Inte ens när hon träffade sin mamma?

– Nej, suckade Karin. Inte ens då. Antagligen är hon väl i chock. Även om hon verkar ha tagits väl om hand så är det naturligtvis en traumatisk upplevelse att bli bortrövad på det där sättet, ryckt ur sitt sammanhang och bort från sina föräldrar och tryggheten.

– Dessutom vet vi ju inte vad flickan har varit med om, inflikade Knutas. Även om hon ser okej ut på utsidan.

– Nej, vi vet inte det, sa Karin. De mest intressanta uppslag vi hade visar sig tyvärr inte leda nån vart. När det gäller barnboken så har Krister Eliasson i förhör berättat att han nyligen inlett en relation med kalkonfarmarens syster Erika Ahlström och att han varit i hennes hus tillsammans med Vilma vid tidigare tillfällen. Barnboken var mycket riktigt Vilmas, men det verkar inte vara så att de är inblandade i försvinnandet.

– Varför inte? undrade Norrby och såg skeptisk ut.

– Erika Ahlström har haft en kusin boende hos sig de två senaste veckorna och hon har intygat att Vilma inte varit där under den tiden. Vi har inte heller hittat nåt i hemmet som tyder på att ett barn har gömts undan där.

– Men varför har Krister Eliasson inte sagt att han har en ny flickvän? fortsatte Norrby.

– Han ville inte att exfrun skulle få veta nåt, sa han, med tanke på hur ansträngt det varit mellan dem.

– Hur är det med alibin? frågade åklagare Smittenberg.

– Erika Ahlström har alibi vid tiden för bortrövandet, då satt hon nämligen hos frissan på Hästgatan. Frisören och flera andra som arbetar i salongen intygar att hon var där mellan klockan halv tio och halv tolv samma morgon som Vilma försvann. Och Krister Eliasson hjälpte ju en kompis att flytta och har alibi därifrån.

Karin gjorde en paus, drack lite vatten ur glaset hon hade framför sig på bordet och gav ifrån sig en lätt suck innan hon fortsatte:

– Det andra spåret vi måste släppa är mannen med ryckningarna i ansiktet som Maria Hagberg såg på gatan samma morgon som Vilma försvann. Han heter Hasse Johnsson och misstänktes faktiskt för sexuellt övergrepp mot barn för tio år sen, men utredningen lades ner och efter det har det inte varit någonting. Han råkade bara passera just då, men kvart över nio på morgonen klev han in på café Bageriet på Stora Torget och där blev han sittande i två timmar tillsammans med en vän som sedan körde honom till färjan till Oskarshamn, och han lämnade alltså ön. Detta intygas både av caféägaren, vännen han fikade med och av personal på färjan som känner Hasse Johnsson sen tidigare.

– Då vet vi alltså ingenting om vad lilla Vilma Eliasson råkat ut för, suckade Norrby.

Det blev tyst i rummet. Karin gav honom en lång blick.

– Det är just det vi ska försöka ta reda på.

Kvällen hade kommit och Anna hade lagt Heidi och läst godnattsaga. Själv hade han druckit alldeles för många glas whisky och var inte i skick att natta dottern. Anna visade tydligt sin irritation. Hon satt i ena soffhörnet och stickade frenetiskt medan hon tittade på teve. David visste att han inte borde dricka så mycket. Men han kunde inte låta bli. Måste trösta sig med något. Han kände sig så ensam med sina problem. Tyckte det var pinsamt att han inte vågat konfrontera Anna.

Samtalen med kantorn hjälpte lite, men det framgick tydligt att hon tyckte han skulle ta upp saken med sin hustru. Men det gick bara inte, varje gång han tog sats för att börja prata var det som om luften gick ur honom. Hur skulle han börja? Han gruvade sig inför nästa samtal med kantorn, gruvade sig för att ännu en gång tvingas erkänna sitt misslyckande. Han ställde sig frågan gång på gång – varför tordes han inte? Var det en sådan man han hade blivit? Fan, han var väl herre i sitt eget hus?

David hade försökt ta reda på mer om telefonsexförsäljningen. Tänkte att Anna borde ha en hemsida eller åtminstone vara ansluten till ett företag med hemsida där hon kunde bjuda ut sina tjänster. Hur skulle kunderna annars komma i kontakt med henne? Hon hade den säkert under förtäckt namn. Trots idogt letande hade han inte lyckats finna några telefonnummer eller andra uppgifter som kunde leda till att han fick mer information. Dem förvarade hon väl på ett säkert ställe, kanske till och med utanför huset någonstans. Annars hade han själv ringt. Det hade varit något. Att verkligen testa på riktigt vad det var hon sysslade med. Ett nytt sätt att lära känna sin hustru. Han kände hur färgen i ansiktet steg av harm när han tänkte på det.

David kastade en blick på Anna från fåtöljen han satt i. Hon låtsades inte om honom. Han tog en djup klunk av drinken. Han måste få det ur sig, måste prata med henne.

– Fan ta dig, mumlade han.

Hon vände sig mot honom.

– Förlåt, vad sa du?

– Vad är det du sysslar med om nätterna? frågade han och iakttog henne uppmärksamt för att bedöma hennes reaktion.

Hon rörde inte en min. Det dröjde innan hon öppnade munnen.

– Vad menar du?

– Jag vet att du håller på med nåt fuffens på nätterna när jag är på fabriken. Vad är det?

Blicken stadigt i hennes. Hon stirrade ner på sina stickor utan att göra uppehåll. Var det för att vinna tid?

– Vad är det som gör att du tror det?

– Jag bara undrar. Vad håller du på med?

Han tänkte inte ge henne något av den information han hade. Hon skulle få berätta själv. Äntligen släppte tungans band. Alltihop ville han höra. Hennes oberördhet irriterade honom. Någon minut förflöt medan hon tittade ömsom på teven och ömsom på stickningen hon hade i händerna.

– Anna, sa han uppfordrande och höjde rösten. Säg som det är!

– Tyst, hyssjade hon upprört. Du väcker Heidi.

– Här ska det inte vara tyst, röt han. I det här huset har det varit tyst alldeles för länge! Tror du inte att jag vet vad du sysslar med? Tror du att jag är dum?

– Vadå? Vad pratar du om?

Han lade märke till att hon rodnade. Hon såg så skuldmedveten ut att det var löjligt.

– Du säljer dig till en massa främmande karlar och låtsas att du är en lättfotad tjugofemåring eller sekreterare med stora bröst eller en gammal strippa. Det är det du håller på med medan jag sliter hela nätterna på fabriken!

Nu lät hon stickningen sjunka och tittade på honom.

– Var har du fått det där ifrån? frågade hon med svag röst.

– Jag vet, sa han och såg henne stint i ögonen. Det är ingen idé att du försöker förneka det. Jag har hittat porrtidningen, pärmen – allt. Jag har tagit reda på vad du håller på med.

Under ett ögonblick verkade Anna tänka intensivt, som om hon försökte komma på hur hon skulle tackla situationen. Sedan släppte hon stickningen, reste sig tvärt ur soffan och stirrade ilsket på honom.

– Du fattar ingenting, absolut ingenting!

Så gick hon ut ur rummet, han hörde henne klä på sig i hallen och så gick ytterdörren igen. David satt kvar, som förlamad i sin fåtölj. Förmådde inte gå efter henne, förmådde inte resa sig. Han sträckte sig efter flaskan och fyllde på sitt glas. Nu skulle han bli riktigt full.

Katten hade ylat hela natten. Och de små liven hade pipit ikapp. Hon stod inte ut längre. Sedan hon stängt in kattungarna i garderoben hade kattan först letat förvirrat, jamat, förstått efter en stund att de var inne i sovrummet, gnidit sig mot dörren. Jamat alltmer ihärdigt och till slut tjutit i högan sky. Kattungarna, fortfarande för små för att röra sig, hade svarat. Hon hoppades att katten skulle ge upp efter ett tag. Innan hon gick till sängs letade hon rätt på ett par gamla öronproppar, men det hjälpte föga. Följden blev att hon låg vaken. Försökte läsa, men det var lönlöst i larmet runt omkring. Framåt femtiden på morgonen stod hon inte ut längre, hon måste få några timmars sömn. Hon tappade tålamodet, tog en filt och täckte över kattungarna. Stängde sedan garderobsdörren ordentligt.

Nu skulle det väl äntligen bli tyst.

Regnet slog hårt i asfalten, ett grått dis täckte den medeltida staden. Ringmuren och havet som vanligtvis fanns i blickfånget hade nästan försvunnit i diset när Karin gick mot polishuset på måndagsmorgonen. Promenaden från lägenheten på Mellangatan gjorde henne genomfrusen, fingrarna var våta och iskalla.

Under helgen hade det framkommit att ingenting tydde på att Vilma Eliasson blivit utsatt för någon form av fysiska övergrepp. Det hade fått Karin att pusta ut, men i övrigt hade inte något hänt som kunde föra utredningen framåt.

Hon och Anders hade tillbringat en del tid tillsammans. De hade gjort sådant som nyförälskade gör, ätit goda middagar, tillbringat mycket tid i sängen, tagit långpromenader. Och pratat, pratat, pratat.

Karin var djupt förälskad, samtidigt som gåtan med Vilma Eliassons försvinnande vilade tungt över henne.

Det var oerhört frustrerande att polisen inte kom vidare, att de inte lyckats ta reda på vad som hänt.

Hon gick raskt med nerböjt huvud. Fortfarande hade den lilla flickan inte sagt något. Karin såg hennes ansikte framför sig. Varför, tänkte hon, varför vill du inte berätta? Hon såg ner i gatan där regnet flöt i rännilar mellan kullerstenarna. De gångerna hon lyfte blicken för att orientera sig gjorde regnet och diset staden grå och oklar.

Hon stannade till i receptionen, hörde glasdörrarna slå igen bakom sig. Runt gummistövlarna samlades vattenpölar.

Flera förhör hade gjorts med treåringen, men så fort psykologen frågat om var hon varit eller vem som hämtat henne slöt hon sig som en mussla. Och inget annat hade heller gett resultat. Nu befann de sig i ett läge där alla ledtrådar och vittnesuppgifter undersökts, filmerna från övervakningskamerorna på Adelsgatan hade gåtts igenom och det fanns inget mer att gå på. Tanken på att de kanske aldrig skulle få veta vad Vilma hade upplevt retade Karin oerhört. Hon suckade och kände att hon också var på väg att ge upp.

När inget hände gick livet vidare. Nyss diskuterade alla det lilla barnet som var försvunnet, det surrade i korridorerna, men redan nu pockade andra saker på polisens uppmärksamhet. Annat arbete som krävde tid och resurser. Andra uppgifter som måste göras, saker som tog tid, som skulle undersökas, lösas.

De hade till och med skjutit upp det sedvanliga morgonmötet, så Karin hade kostat på sig en sovmorgon och gått till jobbet ett par timmar senare än hon brukade.

Försjunken i sina egna tankar blev hon till sist varse att kvinnan som arbetade i polishusets reception försökte fånga hennes uppmärksamhet.

– Karin, det är nån som vill träffa dig.

Receptionisten nickade kort i riktning mot en smalaxlad kvinna som stod med ryggen till vid disken. Det var Vilmas mamma, Eva Eliasson. Hon såg ut som om hon höll på att falla samman.

Karin skyndade sig bort till henne, tog hennes hand.

– Hur är det? Vill du prata med mig? frågade Karin mjukt.

Eva nickade bara.

– Kom med mig.

Karin ledde henne varsamt uppför trapporna till kriminalavdelningen och in på sitt tjänsterum. Tog hennes jacka och hängde den ovanpå sin egen. Så hjälpte hon henne ner i en stol, hon satte sig på huk bredvid.

– Jag är så orolig för vad Vilma har varit med om, sa Eva. Jag tänker på det hela tiden.

– Jag förstår, sa Karin. Jag önskar jag hade nåt att berätta för dig. Att vi visste mer. Vill du ha en kopp kaffe?

– Ja tack, svarade Eva och Karin såg att hon ansträngde sig för att samla ihop sig.

– Vill du ha mjölk, socker?

Eva nickade nästan omärkligt.

– Mjölk, svarade hon tonlöst.

Hon tog emot den varma koppen. Hennes händer darrade och fick kaffet att krusa sig i koppen.

– Jag måste få prata med dig, sa hon. Jag måste prata med nån, jag har ingen att prata med. Ingen som förstår. Alla säger bara att jag ska vara glad för att Vilma är tillbaka igen. Men tankarna mal i huvudet, jag håller på att bli tokig av att inte veta var hon har varit någonstans. Min lilla flicka. Först var jag förstås glad och lycklig över att hon var hemma igen, välbehållen. Att hon levde, att hon inte var skadad eller utsatt för nåt... övergrepp. Bara att få ha henne hemma igen, krama om henne, se henne somna i sin säng.

Hon lyfte blicken.

– Men nu, nu kommer tankarna på vad hon har råkat ut för. Vem som rövade bort henne och varför.

– Jag förstår det, sa Karin deltagande och satte sig på kanten av skrivbordet.

Hon förstod henne alltför väl. Det var hemskt att inte veta.

– Jag har legat sömnlös hela helgen och samma frågor rör sig i mitt huvud hela tiden. Var har hon varit? Vad har hänt? Vad är det som säger att det inte kommer att hända igen? Jag törs inte lämna henne ensam en sekund, jag törs inte ens slita blicken från henne. Jag vågar inte låta henne vara på förskolan. Hon saknar sina lekkamrater, men tänk om hon inte är där när jag hämtar henne?

Karin lutade sig framåt och strök henne tröstande på armen. Hon hade så gärna velat säga till Eva att hon inte behövde vara orolig, att hon inte behövde bekymra sig. Att det var osannolikt att Vilma skulle försvinna igen. Men hon kunde inte.

– Vad gör ni poliser egentligen? frågade Eva plötsligt uppbragt. Vet ni fortfarande ingenting? Hon reste sig medan hon pressade kaffekoppen mellan händerna. Varför gör ni ingenting? Varför tar ni inte fast honom?

Karin reste sig och höll upp händerna i en avvärjande gest. Hon, kriminalkommissarien med ansvar för hela utredningen, ville berätta för Eva att de inte visste om det var en han, de visste i själva verket ingenting, ingenting hände i fallet. Kom det inte in flera upplysningar eller uppslag skulle polisen vara tvungen att lägga ner utredningen. Hon ville berätta att de hade gjort allt de kunde, att de inte kunde göra mer. Att de inte hade nog med resurser, att de hade annat att göra. Men hon kunde inte förmå sig, trots att det troligen var sant.

– Jag är ledsen, var allt hon klarade av att säga.

– Vad menar du?

Karin skakade på huvudet.

– Vi hoppas fortfarande på att Vilma kommer att kunna berätta nåt för oss, nåt som kan bringa klarhet i den här historien. Eller att nån som har sett nåt slutligen träder fram.

Eva Eliasson stirrade handfallen på Karin. Underläppen darrade.

– Så du menar... att vi kanske aldrig får veta...

– Jag är hemskt ledsen, Eva.

Kvinnan mitt emot sänkte blicken.

– Så vi kommer kanske alltid att få undra över vad

som har hänt, viskade Eva. Vi kommer aldrig att få veta sanningen.

Karin kände ett tryck över bröstet, det blev tungt och hon svalde, gråten fastnade i halsen.

Så lutade hon sig framåt och kramade om Eva.

Det var allt hon kunde göra.

Knutas lämnade polishuset under den tidiga efter-middagen. Han blev så trött nuförtiden. Orkade inte alls hänga med i samma takt som de andra, som förr. Dessutom hade inte något nytt framkommit som kunde kasta ljus över Vilma Eliassons försvinnande. Det verkade hopplöst. Därför kändes det skönt att sticka från jobbet. Han bestämde sig för att gå via Ica Atterdags och handla på hemvägen.

När han kommit en bit började det regna igen. Han övervägde att gå tillbaka och hämta ett paraply, men bestämde sig för att strunta i det och hoppas på att regnet skulle avta. Halvvägs till mataffären insåg han att det var ett misstag, han var redan genomblöt. Fasen också, tänkte han och skyndade på stegen. Småsprang den sista biten över parkeringen.

Väl inne på Ica grävde han fram lappen ur fickan och satte på sig läsglasögonen. Det var en följd av depressionen; han kunde inte komma ihåg saker på samma sätt som tidigare, måste anteckna allt. Det var som om hjärnan var överhettad, inte mäktade med mer information, saknade kapacitet att lagra mer. Det var stopp och stängt.

Flera gånger hade han drabbats av akut minnesförlust. Det hade hänt att han hade åkt till ett köpcentrum för att handla och när han kom ut så hade han totalt glömt bort var han parkerat bilen. Ofta när han reste sig ur soffan framför teven för att hämta något i köket så hade han fullständigt tappat bort vad det var när han väl stod där vid diskbänken och såg sig förvirrat omkring. Han hade också kommit på sig själv med att vara på väg till brevlådan för att hämta dagens post, men sedan bara gått förbi och först efter att ha promenerat ett bra stycke kommit på att det var posten han gått ut efter.

Nu läste han på lappen och plockade ner varorna i korgen. Han hade varit ledig både måndag och nu tisdag och skulle väl egentligen ha åkt till sommarstugan över helgen, men valde att stanna hemma. Fortfarande hade inte katten kommit tillrätta, men en granne hade lovat meddela honom så fort Elsa kom tillbaka. Då var det ju bara att åka och hämta henne. Om hon nu inte hade blivit påkörd eller råkat ut för något annat. Han hoppades innerligt att så inte var fallet. Han hade åkt ut till stugan ett par gånger bara för att ropa på Elsa, stått med hennes favoritmat på farstukvisten och väntat. Men förgäves.

Han plockade ner de sista varorna i korgen och gick

bort mot kassorna. Det var mycket folk i livsmedels-butiken och köerna ringlade sig långa. Han ställde sig i en av dem och försökte tänka på annat. Besvärades i alla fall av en oro i kroppen. Kände sig rastlös och otålig.

Plötsligt lade han märke till en person som stod en bit bort mellan gångarna och iakttog honom. Han såg inte vem det var, bara en medelålders man som var lång och reslig med ljust hår. Han stod ett bra stycke ifrån, men helt stilla och tycktes titta rakt på honom. Knutas stelnade till. Så blev han osäker. Kanske inbillade han sig ändå. Han tittade åt ett annat håll och låtsades sedan kontrollera något i varukorgen. När han lyfte blicken nästa gång var mannen försvunnen. Han såg sig omkring, men kunde inte upptäcka honom någon-stans. Knutas andades ut. Jag är inte mig själv, tänkte han. Han fuktade läpparna, insåg att han blivit alldeles torr i munnen. Vad var det med honom?

Kön rörde sig framåt i snigelfart, kassörskan hade fullt upp. Fortfarande hade han en krypande känsla i kroppen. Han tittade bortåt gången där mannen stått. Den var nu tom. Men i nästa ögonblick insåg han att främlingen var kvar i butiken. Han hade flyttat sig närmare och det var glasklart att han stirrade just på honom. Knutas såg rätt in i ett par iskalla blå ögon. Nu kände han också igen mannen.

Vera Petrovs make, Stefan Norrström.

David befann sig återigen i kantorn Miriam Kvibergs samtalsrum i församlingshemmet. Han kallsvettades och hade svårt att sitta still. Skakade oavbrutet på ena benet, hela natten hade han varit uppe och druckit. Ångesten hade slagit till ordentligt framåt morgontimmarna. Till råga på allt var tiden för stödsamtal redan klockan tio på förmiddagen. Det fanns inte en chans att nyktra till ordentligt. Först hade han tänkt strunta i att gå dit, men kände på samma gång ett trängande behov av att prata med någon.

– Jag känner att jag börjar tappa kontrollen, började han. Jag vet inte vad jag ska ta mig till.

Kantorn satt ovanligt rak i ryggen i fåtöljen och betraktade honom uppmärksamt. Händerna vilade på armstöden, som om hon när som helst var beredd på att hiva sig upp ifall det skulle bli nödvändigt.

David visste att det både kändes på lukten och märktes att han hade druckit. Samtidigt brydde han sig inte längre om att hålla skenet uppe inför henne. Miriam Kviberg fick ta honom för den han var. Just nu. Han kände inte längre igen sig själv. Den senaste tiden hade han gradvis övergått till att bli en annan person.

– Vad menar du? frågade hon.

Han kunde ana en viss stränghet i rösten. Kanske tyckte hon att han borde skärpa sig.

I dag verkade hon ha en annan energi än vanligt, hon var mer på alerten. Kanske berodde det på honom, hon kanske kände att hon måste eftersom han faktiskt var berusad fortfarande. Han uppfattade det som om hon satt på helspänn, beredd på ett utbrott eller vad som helst.

– Jag är inte mig själv, jag blir arg för ingenting, skäller på Heidi, känner mig okoncentrerad på jobbet och jag och Anna kan inte prata i fem minuter längre utan att vi grälar. Det känns som om jag håller på att bli tokig.

– Hur har det gått med ert... problem? frågade kantorn lugnt. Har du pratat med henne?

– Ja, suckade han. Men det har inte lett nån vart. Vet du vad hon säger till mig?

Miriam Kviberg skakade sakta på huvudet. Tittade samtidigt forskande på honom.

– Att jag inte har med saken att göra, att jag inte ska lägga mig i! Hon har börjat låsa dörren till syateljén och vägrar låta mig gå in där överhuvudtaget. Och hon slutar inte – jag märker att hon fortfarande håller på med det där jävelskapet. Ja, förlåt, sa han. Det var inte meningen att svära i Guds hus.

– Det gör ingenting, sa hon. Hur mår Heidi? Har hon märkt av era bråk?

– Tyvärr, det går inte att dölja. Det går ut över henne och jag vet inte vad jag ska göra. Jag vet inte hur det ska sluta om vi inte får hjälp. På förskolan har de reagerat och säger att Heidi har blivit orolig och ledsen på dagarna. Hon har börjat kissa i sängen igen. Det har hon inte gjort på länge, men nu händer det var och varannan natt.

– Dina alkoholproblem måste du göra nåt åt. Har du kontaktat stödgruppen jag pratade med dig om?

David slog ner blicken. Återigen fick han skämmas.

– Nej, det har inte blivit av, jag har inte orkat. Förlåt.

– Det är inte mig du ska be om förlåtelse, sa kantorn tillrättavisande. Det är dig själv och din familj. Inte minst din dotter.

Hon suckade och betraktade honom en stund under tystnad innan hon fortsatte:

– Jag tror inte att jag kan hjälpa dig så mycket mer, utan nu får de sociala myndigheterna ta över. Jag kan ge stöd när det gäller problem i vardagen, men detta låter alldeles för allvarligt. Du och Anna behöver mycket mera hjälp än vad jag har möjlighet att erbjuda.

Kantorn lät bestämd.

– Du vill alltså inte ta emot mig mer? frågade han förvånat. Hade svårt att dölja sin besvikelse.

– Det handlar inte om min vilja, svarade kantorn. Utan om min förmåga.

Hon sträckte sig efter en telefonbok på en hylla.

– Jag ska ge dig numret till en familjerådgivare på kommunen. Hon kan hjälpa dig med allt du behöver.

Kantorn antecknade numret på en papperslapp som hon överräckte till honom. Han reste sig och tittade flyktigt på den.

Samtalen var uppenbarligen över.

Natten blev sömnlös för Knutas del. Oroligt vred han sig av och an. Lyssnade efter ljud. Någon som försökte bryta sig in. Denne någon var Stefan Norrström, som redan jagat honom i mardrömmarna ända sedan dödsolyckan på Gran Canaria. Nu hade de för första gången setts i verkligheten.

Han låg vaken och stirrade i mörkret. Saknade katten som alltid brukade hoppa upp i sängen och gosa med honom. Efter att Line försvunnit hade han kommit att uppskatta de där stunderna än mer.

Tankarna gick till händelsen i kön på mataffären dagen före. Hur Stefan Norrström stått där och stirrat på honom. Som ett förtäckt hot mitt i den vardagligaste av situationer. Säkert hade ingen annan av kunderna märkt något. Själv hade han blivit paralyserad och bara stått stilla utan att kunna röra sig. Han förstod inte vad som tagit åt honom, han var ju en erfaren och garvad polis, men han blev som förlamad. Det höll i sig någon minut och när han kommit till sans och kunde se sig om hade Norrström försvunnit och sedan inte visat sig mer. När Knutas kom ut ur affären kunde han inte upptäcka honom någonstans.

Knutas kollega i Stockholm, Kurt Fogestam som också var med i jakten på Gran Canaria, hade berättat att Stefan Norrström gick fri från rättsligt efterspel. Han hade inte ens åtalats. Preskriptionstiden för skyddande av brottsling var två år och paret hade hållit sig undan i fem år. Dessutom fanns en rad förmildrande omständigheter; hans fru hade varit höggravid när hon skjutit ihjäl de två män som tjugo år tidigare hade våldtagit och mördat hennes syster. Det var förståeligt att Stefan Norrström hade prioriterat att ta hand om henne och barnen. Till råga på allt hade han just förlorat dem när de dödsstörtade utför ravinen.

Ville Stefan Norrström hämnas eller var det en slump att de hade träffats i affären? Han hade hört att Norrström återigen bodde i familjens hus i Kyllaj på norra Gotland och rörde sig fritt på ön. Det vore nästan konstigt om de inte, förr eller senare, sprang på varandra. Knutas försökte lugna sig, men det gick inte att sluta fundera över vad Stefan Norrström kunde tänkas ha i kikaren.

Återigen hade hon försökt söka Gud. Hoppats att Han skulle visa sitt ansikte för henne. Hela livet hade hon ansträngt sig till det yttersta för att få kontakt med Honom. Få Honom att ge henne sin kärlek och välsignelse. Hon hade prövat allt, bett böner, mumlat psalmer, läst stycken ur Bibeln, om och om igen. Ibland satt hon ensam i ett rum i huset, stängde dörren. Bestämde sig för att hon inte skulle gå därifrån förrän hon känt Guds närvaro. Hon blundade, koncentrerade sig. Bad Honom komma till henne, låta henne få känna att Han fanns där.

Herre, kom till mig, visa Ditt ansikte för mig. Hör mina böner. Visa mig att jag inte går ensam på denna jord. Att jag inte ska fortsätta ensam. Låt någon komma i min väg. Snälla Gud, visa Ditt ansikte för mig.

Hon grät högt, vädjade till honom. Ibland om kvällen innan hon gick till sängs satte hon sig helt naken på golvet i sovrummet. Hon strök långsamt med fingrarna över sin kropp, som om själva nakenheten skulle göra det lättare för Honom att nå henne. Hon slöt ögonen, försökte locka Honom till sig. När hon inte fick något gensvar satte hon igång med att nypa sig själv i armar och ben. På brösten, låren, magen. Hårt, hårt, tills ögonen tårades. Smärtan skulle hjälpa henne att kalla fram Gud. Fortsatte sedan med att slå sig själv, daskade på armarna, på benen, för att framkalla kontakt.

Ibland gav hon sig själv örfilar i ansiktet, drog i håret tills hon grät. Hon kunde springa runt i huset, slå hårt i alla väggar och dörrar. Öppna ett fönster och skrika rätt ut i nattmörkret, över nejden, allt vad hon orkade. Inte heller det hjälpte.

Ibland tänkte hon att det skulle gå bättre utanför huset. Så att inte hennes föräldrars själar blockerade vägen mellan henne och Gud. Det fanns en enda plats där hon kände sig fullkomligt lugn: inne i Öja kyrkas torn. Det gotiska tornet var med sina sextiosju meter Gotlands högsta. Det syntes så vida omkring att det fungerat som landmärke för sjöfarare.

Hon prövade med att gå uppför alla trappstegen i kyrktornet. I början ringlade sig en brant stentrappa uppåt och den var så smal att det knappt gick att ta sig fram. Även om det var trångt och besvärligt hade hon alltid tyckt om att vara där. Längre upp vidgades utrymmet, hon vilade på varje avsats och njöt av utsikten genom tornets gluggar innan hon fortsatte uppåt. Mitt inne i det höga tornet där aldrig någon annan människa vistades, fann hon en ro som hon inte upplevt någon annanstans. Kanske skulle själva platsen hjälpa till, tänkte hon. Och kanske skulle det underlätta om hon, rent fysiskt, kom högre upp, närmare himlen. Närmade sig Honom på sätt och vis.

Men ingen Gud visade sig. Han var lika frånvarande som alltid.

De senaste dagarnas regn hade dragit bort och det var en sådan där krispigt vacker höstdag, med hög, klar luft, knallblå himmel och sol som fick höstfärgerna på löven att brinna. Därtill var det ovanligt varmt för årstiden och nästan vindstilla. Vädret för den stora marknadsdagen i Hemse hade inte kunnat vara bättre. Människor kom gående, cyklande och körande från alla håll. Bilarna sniglade sig fram i en lång kö in mot Hemse, många hade parkerat i grässlänten utefter vägen, en bra bit utanför ortens centrum.

Hemse marknad var årets höjdpunkt i bygden och lockade även människor från hela ön. Redan nu var det trångt mellan de provisoriskt uppställda försäljningsbodarna. Långa gator hade byggts upp med stånd på vardera sidan och där såldes allehanda varor; lammkorv, kokosbollar, smycken, konsthantverk, porslin, leksaker, böcker, tidningar. Nya besökare strömmade kontinuerligt till och folkmassan tätnade. Där fanns

177

både gamla och unga, barnfamiljer och tonåringar.

De lyckades till slut hitta en parkeringsplats i utkanten av området. Egentligen var Anna Forss inte särskilt förtjust i torgdagar, fyllda med trängsel och kommers, men det var skönt att komma bort från huset en stund, strunta i arbetet och få umgås med Heidi.

Dessutom gick David henne på nerverna där hemma, de bara bråkade eller så undvek de varandra. Nu hade de åkt till marknaden för Heidis skull, för att allt skulle verka normalt. För henne var det förstås roligt att gå på marknad med mamma och pappa istället för att tillbringa ännu en dag på sin gamla vanliga förskola.

Efter att ha strosat runt i någon timme och försökt hålla skenet uppe när de träffade bekanta, trots att det var frostigt dem emellan, ville David åka hem. Han hade jobbat natt och var följaktligen trött. Han fick skjuts med några grannar. Eftersom Heidi ville åka mera karusell stannade Anna kvar med henne, även om hon också kände sig sliten.

De gick hand i hand mot nöjesfältet som rests upp enbart för den här dagen. Karusellerna var igång, hoppborgen var full av stimmiga ungar som kiknade av skratt när de studsade runt och tumlade om varandra, rutschkanan som gick rakt ner i ett bollhav var ständigt full och kön till glassförsäljningen ringlade sig lång. Intill hoppborgen såldes kaffe och där fanns några bord och stolar där man kunde slå sig ner och vila fötterna.

– Jag vill åka på hästen, mamma! bad Heidi och pekade på karusellen.

– Javisst, älskling. Mamma ska bara köpa biljetter.

Heidi åkte varv efter varv och strålade med hela ansiktet. Hon lekte i hoppborgen och de åkte rutschkanan tillsammans. Efter en stund tyckte Anna att det var dags för en paus.

– Vill du ha glass? frågade hon. De har mjukglass där borta.

Mjukglass var det bästa Heidi visste.

– Ja, det vill jag! Med strössel!

Anna kastade en längtansfull blick mot caféborden borta vid gräsmattan. Hon såg fram emot att få slå sig ner med en kopp kaffe.

Kön var fortfarande ganska lång och det tog ett bra tag innan det blev deras tur.

Hon köpte en stor strut med chokladströssel till Heidi. Dottern tog förtjust emot glassen och de gick mot caféet. Plötsligt snubblade Heidi till och förlorade greppet om struten som for i backen. Hon började gråta hysteriskt. Anna tappade omedelbart tålamodet.

– Men vad gör du? röt hon. Du måste ju hålla i glassen! Nu är den förstörd!

– Mamma, jag vill ha en ny glass. Du får köpa en ny!

– Nej, det gör jag då rakt inte! Jag är inte gjord av pengar. Du får inget mer.

Heidi satte sig rakt på rumpan på marken och grät högt.

– Jag vill ha en ny!

Anna tog henne i handen och drog upp henne. Böjde sig ner och väste i flickans öra.

– Det blir ingen ny glass, sa jag. Kom, nu åker vi hem.

Men Heidi sparkade och slog, bet henne i handen så hon släppte taget och kastade sig på marken.

– Dumma mamma! Du är dum!

Anna såg rött. Tappade det sista lilla uns av tålamod hon hade kvar.

– Nu går mamma om du inte kommer. Så kan du sitta kvar här bäst du vill. Jag åker hem!

Hon vände på klacken och stolpade iväg för att skrämma dottern till lydnad. Hon knuffade sig fram i trängseln. Hörde Heidis tjutande bakom sig. Men hon brydde sig inte om det. Hon skulle lära dottern en läxa. Fortsatte framåt. Bara en bit till, tänkte hon. En bit till.

När hon nådde slutet på raden av stånd vände hon på klacken och började gå tillbaka. Nu skulle nog Heidi ha lärt sig. Folkmassan hade tätnat och hon fick tränga sig fram. Hon blev stressad av att det tog en sådan tid att bana sig väg. Insåg att hon nu hade varit borta för länge och ilskan ersattes av oro. Hon hade gått för långt, Heidi var bara fyra år och hon borde inte ha lämnat henne utan uppsikt.

Till sist nådde hon platsen där de skilts åt och fick sina farhågor bekräftade. Heidi fanns inte kvar.

Anna letade med blicken runt omkring sig. Kollade klockan. Hur lång tid hade det tagit för henne att gå fram och tillbaka? Det borde inte röra sig om mer än någon minut. Hon letade överallt. Kunde Heidi ha gömt sig för henne på pin kiv? Låg hon och tryckte någonstans och iakttog sin mammas oro just nu? Flickungen kunde, trots sin låga ålder, vara både egensinnig och förslagen.

Paniken växte i bröstet, ingenstans kunde hon hitta Heidi. Hon sprang mellan karusellerna, hoppborgen, studsmattan, rutschkanan, bort till glasståndet och frågade försäljerskan om hon sett till dottern. Hon hörde efter med folk i närheten om de sett en ensam fyraåring som grät. Svaren blev nekande överallt. Till slut blev hon stående villrådig medan hon kände marken gunga under fötterna.

Heidi var försvunnen.

181

När Karin kom fram till Hemse marknad hade klockan hunnit bli två på eftermiddagen. Larmet om en försvunnen fyraåring hade kommit in till polisen någon timme tidigare och Wittberg och Sohlman hade åkt i förväg till Hemse. Hon hittade Wittberg tillsammans med föräldrarna till den försvunna flickan. Scenen som utspelade sig framför henne påminde starkt om den hon upplevt utanför frisersalongen bara en dryg vecka tidigare. Mamman satt på en stol med händerna i knäet och snyftade, medan pappan satt bredvid och stirrade tomt framför sig. Karin hälsade på dem och de presenterade sig som David och Anna Forss. Hon slog sig ner bredvid dem.

– Berätta vad det är som har hänt, bad hon.

Det var Anna Forss som först tog till orda. Hon berättade hur det gått till när hon och Heidi kom ifrån varandra och hur hon letat en god stund och frågat runt bland folk om de sett till dottern, men utan resultat.

– Till slut ringde jag David, avslutade hon.

– Och sen?

– Vi letade, och folk i närheten hjälpte till.

Hon slog ut med händerna.

– Men vi har inte hittat henne nånstans, det är fruktansvärt. Ni måste hjälpa oss, ni måste hjälpa oss att hitta Heidi!

– Det ska vi göra. Vi ska sätta igång direkt, sa Karin och tröstade henne med en försiktig klapp på axeln.

Hon vände sig mot mannen som suttit tyst.

– Vart tror du att Heidi kan ha tagit vägen?

– Ingen aning, sa han med kvävd röst. Jag hoppas att hon är här nånstans och att vi hittar henne när det har glesnat med folk. De borde väl börja ta sig hemåt snart.

Karin tittade sig omkring. Folkmassan rörde sig sakta mellan stånden. Det måste vara mer än tusen människor här, tänkte hon. Att gotlänningarna var så förtjusta i marknader förundrade henne. Men det är klart, tänkte hon, så här års finns ju inte så mycket annat att göra. Hon undrade var den lilla flickan kunde ha blivit av. En gnagande oro i bröstet. Med tanke på att Vilmas kidnappare fortfarande gick lös var situationen allvarlig.

Hon avbröts i tankarna av Wittberg som kom bakifrån och knackade henne på axeln.

– Nu är det färdigt. Ryktet har spritt sig att ett barn har försvunnit. De är här från teve och vill ha en intervju med polisen.

– Det kan de glömma. Det finns absolut ingenting att säga. Vi vet ju inte ens vad som har hänt. Eller om det ens har hänt nånting.

– Jag tror det blir svårt.

Wittberg nickade bakåt. Karin vände sig om och såg fotografen Pia Lilja som brukade arbeta tillsammans med tevejournalisten Johan Berg. Nu hade hon den där andra kvinnliga reportern med sig, hon hette något med Haga. Javisst, Madeleine Haga var det. Den långbenta fotografen hade redan kameran på axeln. Helsike.

Karin gick fram till journalisterna och hälsade kort.

– Det är ingen idé att ni filmar. Det finns ingenting att berätta.

– Vi har hört att en fyraårig flicka är borta. Vilket otvivelaktigt har ett allmänintresse, särskilt som det blir andra gången ett barn försvinner på ön på en dryg vecka, sa Madeleine Haga kaxigt. Och enligt den information som gått ut så vet uppenbarligen polisen fortfarande inte vad som hände med treåriga Vilma Eliasson. Eller hur?

– Det spelar ingen roll just nu. Den flicka som är borta nu kan komma tillrätta när som helst.

– Men om hon inte gör det? envisades Madeleine. Demonstrativt tittade hon på sin klocka och fortsatte:

– Antalet människor här på marknaden kommer att tunnas ut inom ett par timmar. Klockan fyra lär det vara i stort sett tomt här. Om flickan fortfarande är borta så är det en nyhet. Vi har vår första sändning fem i sex. Har hon kommit tillrätta sänder vi givetvis inte. Om hon ännu inte har hittats måste vi berätta om det i teve i vilket fall som helst. Så du kan precis lika gärna säga det lilla ni vet. Faktum är att det just nu ser ut som om flickan är försvunnen. Eller hur?

Karin kände irritationen stiga men orkade inte argumentera mer med den envisa reportern. Herregud, hon är värre än Johan Berg, tänkte hon.

– Vill du ha en kommentar av polisen så får du vända dig till vår presstalesman Lars Norrby, sa hon korthugget och vände på klacken.

Samtidigt fick Karin en obehaglig känsla. Något sa henne att Heidi Forss inte skulle komma tillrätta i första taget. Något var på gång. Frågan var bara vad.

David Forss satt mitt emot henne. Karin tittade i några papper hon hade framför sig på bordet, bläddrade lite i dem innan hon lyfte på huvudet och fångade hans blick.

– Vill du ha nåt att dricka, kaffe? Te?

– Nej, svarade han.

– Cola, Fanta?

David skakade på huvudet, han ville inte ha något. Han lade händerna på bordsskivan, gned dem mot varandra. Han var blek i hyn och fuktade läpparna lite för ofta. Han är nervös, tänkte Karin. Hon betraktade honom, han såg sympatisk ut, men hon hade haft många som suttit mitt framför henne och sett sympatiska ut. Den stora skillnaden var att vissa var sympatiska, andra bara såg sådana ut.

Hon var van vid att betrakta människor, studera ansiktsuttryck, rörelser, allt som kunde berätta något för henne. Hon lade huvudet lite på sned, gissade att han var en och sjuttiofem lång, tittade ner i sina papper, en och sjuttiosju, hon hade inte tagit helt fel. Mörkt hår som lockade sig ned över pannan och i nacken, bruna ögon, ganska söt. Han hade något pojkaktigt över sig, men det stämde inte med hans kontrollerade rörelser. Som om kroppen höll honom tillbaka.

– Kan du berätta vad som hände på marknaden i dag? började hon.

– Jag... han svalde, såg ner i bordet. Vi... kom dit kanske vid tolvtiden.

Han drog handen genom hårlockarna.

– Vi gick omkring, köpte några småsaker, tillbringade säkert en timme borta vid nöjesfältet och Heidi åkte karusell och hoppade i hoppborgen.

Han suckade, tungt. Gned sig med pekfingrarna mellan ögonbrynen. Karin sa ingenting, väntade bara på att han skulle säga något.

– Det var sista gången..., sa han och såg återigen ner i bordet.

– Sista gången, upprepade Karin för att få honom att fortsätta. Sista gången – vad?

Han såg på henne, höll fast blicken.

– Sista gången jag såg henne, sista gången jag såg Heidi. Gud, vad har jag gjort!

Han begravde ansiktet i händerna.

– Vad har du gjort? sa Karin med skärpa i rösten. Hon lutade sig framåt.

– Jag var trött, sa han entonigt.

– Vad har du gjort? upprepade Karin.

187

– Jag har jobbat så mycket på sistone, jag har inte kunnat sova heller.

– Vad har du gjort? prövade hon igen.

Den här gången betonade hon första och sista stavelsen. Karin pressade honom, men inte för hårt. Hon ville få ur honom vad han hade så dåligt samvete för.

– Jag gick hem, jag var trött, jag behövde sova. Heidi ville att jag skulle se henne åka karusell igen, bara en gång till. Men jag sa nej, sa att jag måste hem, hem för att vila. Jag var trött, det har varit så mycket på sistone…

Karin lutade sig tillbaka, drog in luft genom näsan, suckade. Tankarna for genom huvudet. Hon hade varit beredd på att David Forss skulle erkänna något, ett medgivande, någonting.

Inte sällan var det så, ett erkännande och så var saken löst. Och just nu gällde det ett barn, även om hon tyckte synd om honom hade det varit en lättnad att få saken uppklarad, överstånden, i hamn. Just där och då.

– Det var sista gången jag såg henne. Jag var så trött, jag ville hem och sova, hon ville att jag skulle titta när hon åkte karusell. Men jag gjorde inte det… såg inte att hon åkte karusell den sista gången.

David Forss verkade frånvarande, han mumlade nästan för sig själv och blicken var fästad på en obestämd punkt på väggen bakom henne.

– Var bor ni?

– I Öja… precis vid kyrkan.

– Och Anna och Heidi blev kvar?

– Ja, jag fick skjuts hem med några grannar och hade precis kommit innanför dörren när Anna ringde, hon sa att Heidi var borta. Hon skrek i telefonen, jag har aldrig hört henne låta så upprörd, hon sa att det var hennes fel... att hon hade gått ifrån Heidi, lämnat henne i någon minut bara, tappat bort henne... fast det var bara någon minut, sa hon. Skrek hon. Bara någon minut...

– Och vad gjorde du?

– Jag åkte tillbaka med en gång. Men vi kunde inte hitta henne nånstans och ingen hade sett henne. Det var så otroligt mycket folk överallt. Men ingen hade sett henne. Hon är så liten, så himla liten.

– Har det hänt förut att Heidi har försvunnit?

David tittade förvånat på henne, som om han först inte förstod frågan. Han blinkade ett par gånger, skakade på huvudet som om han försökte komma till sans, tillbaka in i förhöret, för att kunna svara.

– Om hon har försvunnit förr? Nej, hon brukar inte försvinna. Hon gör aldrig det, hon har aldrig försvunnit förut. Inte på det här sättet.

– Vad menar du med på det här sättet?

– Hon tycker om att leka kurragömma, det gör väl alla barn. Men hon har aldrig försvunnit, gått sin väg, hon brukar inte det. Hon har aldrig gjort det.

– Kan du beskriva Heidi – hur är hon som person?

– Person? David rynkade på ögonbrynen, munnen blev liten och stram. Hur Heidi är som person, upprepade han. Hon är ett barn. Hon är som alla andra barn, hon pratar mycket, leker, skrattar, frågar om allt mellan himmel och jord. Jag förstår inte...

– Jag försöker bara få grepp om vad det är som har hänt.

– Hon är som sagt glad och livlig, men har ett förskräckligt temperament och när hon blir arg är hon inte att leka med. Hon brås väl på mig. Jag blir sällan arg, men när jag blir det...

Rösten sjönk undan. Han slickade sig återigen om läpparna.

– Vad gör du då, när du blir arg? frågade Karin.

David Forss skruvade på sig.

– Jag höjer kanske rösten.

– Inget annat? Du går inte till handgripligheter?

– Verkligen inte.

Det blev tyst en stund.

– Är det Anna som har sagt nåt? fortsatte David. Jag har slagit i dörrar, kanske i väggen med knytnäven några gånger. Men aldrig i närheten av Heidi, aldrig.

– Har du problem med ditt temperament?

– Problem?

– Ja, problem. Har du svårt att behärska dig när du blir arg? Har du problem med att tygla ditt temperament?

– Nej... David drog ut på svaret. Jag kunde bli väldigt förbannad när jag var yngre, om det är det du menar. Men nej, jag har inte nåt problem. Är det Anna som säger det?

– Nejdå, det var bara en fråga. Allt är viktigt i den

190

här utredningen. Hur länge har du och Anna varit gifta?

David drog en djup suck, lutade sig tillbaka i stolen, skakad men behärskad.

– Snart tio år, vi ska fira tioårsjubileum den femtonde oktober.

– Och hur skulle du beskriva äktenskapet?

– Vi har det bra.

Karin såg uppmärksamt på honom, han stirrade rakt förbi henne, svarade kort. Hon lät frågan bero, även om hon märkte en lätt irritation i hans röst då han svarade.

– Och Heidi? Hur mår hon?

– Hur i helvete ska jag kunna veta det? Leta rätt på henne så kan du fråga henne själv!

Karin såg på David Forss, hans ögon var tårfyllda, munnen som ett streck och han var lätt röd i ansiktet.

– Vill du att vi ska ta en paus?

Karin anlade en mjukare samtalston, det syntes tydligt att han var upprörd.

– Vad tror ni har hänt? Rösten skälvde och händerna låg livlösa framför honom på bordet. Om det hade hänt en olycka, med en bil eller så, så hade man väl hört om det, eller hur?

Han tittade vädjande på Karin.

– Självklart. Vi har ringt runt både till lasarettet och vårdcentralerna på ön och det har inte kommit in nån liten flicka dit. Hade nåt allvarligt hänt hade vi hört talas om det.

– Jag tänker på den där andra flickan, Vilma, som

försvann i Visby och som kom tillrätta sen. Vet ni fortfarande inte vad som hände henne?

– Nej, jag kan inte säga så mycket om saken, undersökningen fortsätter. Men vi vet fortfarande inte vad som hände.

David Forss skakade på huvudet.

– Det är inte klokt, det är verkligen helt vansinnigt.

– Har nåt särskilt hänt i familjen på sistone? fortsatte Karin. Nåt utöver det vanliga?

David Forss hajade till vid frågan. En glimt av oro i ögonen, en kort tvekan innan han svarade.

– Nej, inte vad jag kan komma på. Jag tror inte det.

– Tror?

– Jag är inte säker... men jag tror inte att nåt speciellt har hänt... på sistone.

– Ingen ny person som ni har lärt känna?

– Jag sa ju just att det inte har hänt nåt. Vi lever ett stilla och lugnt liv... inte nåt utöver det vanliga.

Karin stillnade, det var något som inte stämde. Det var något med hans reaktion. Hon såg upp på honom, granskade honom. Men han vek undan med blicken.

– Du är säker?

– Ja, jag är säker.

– Heidi har inte berättat nåt, nåt hon har varit med om, nån hon har lärt känna, nån hon pratat med?

För ett ögonblick verkade David förvirrad. Det var något, men inte med Heidi. Det var något annat. Karin tänkte på hans reaktion då hon frågat honom om

192

äktenskapet. Det kunde självklart vara vad som helst.

Det var i alla fall uppenbart att han ljög.

– Är du verkligen säker? Jag får en känsla av att det är nåt som har hänt.

– Jag är helt övertygad. Han tittade henne stint i ögonen. Det är inget.

– Om du undanhåller nåt så kan det ha betydelse för utredningen. Alla detaljer och omständigheter är viktiga. Det handlar om att vi ska hitta din dotter.

Kort tvekan igen innan svaret kom.

– Men det är inget, jag lovar.

Karin beslutade sig för att lämna ämnet.

– Okej, men om du drar dig till minnes nåt speciellt eller kommer på nåt nytt så meddela oss omgående.

Hon räckte fram sitt visitkort. David Forss tog det, tittade sedan på klockan.

– Och vad gör ni nu?

– Vi letar. Jag lovar, vi ska hitta henne.

David reste sig, tog på sig jackan innan han såg på henne. Höll fast blicken.

– Jag hoppas att du inte har för vana att lova saker som du inte kan hålla, sa han torrt och gick ut genom dörren.

Karin kände sig irriterad redan innan presskonferensen började. Hon hade bara hunnit ha ett kort möte med sina medarbetare efter Heidi Forss försvinnande. Länspolismästaren hade hävdat att den måste hållas, trycket var alldeles för stort. Den kunde under inga omständigheter vänta till dagen därpå. Spaningsledningen fick samlas för ett riktigt möte efteråt. Att Karin hade betonat att hon inte hade något att säga hade inte spelat någon roll.

Salen där presskonferensen hölls var fullsatt. Reportrar från lokala medier trängdes tillsammans med ett betydande antal journalister från fastlandet. Det faktum att ännu ett barn försvunnit spårlöst på Gotland inom loppet av en dryg vecka väckte stor uppståndelse i hela landet. Bilder på Heidi Forss kablades ut i både teve, radio och tidningar.

Karin kände sig som en idiot när hon klev in i lokalen tillsammans med Lars Norrby. Journalisterna följde dem med blicken. Hon visste att de ville ha något hon inte kunde ge dem. Hon tyckte det var bortkastad tid, hon behövde arbeta med fallet, inte stå framför en samling glupska ulvar, sugna på allt som de kunde få ur henne.

Det smattrade av fotoblixtar, teveteam ställde in sina kameror och på podiet längst fram satt en skog av mikrofoner uppmonterade. Oavsett hur hon kände sig så gick det inte att bortse från det faktum att polisen behövde pressen. De hade knappt några spår att gå efter, det största hoppet de hade just nu var att någon där ute hade sett något, hört något, vad som helst. Och det snabbaste sättet att få tag i just den människan var att få ut fallet i medierna, hoppas att denna någon, vem det nu var, läste om det i tidningarna eller såg på teve, hörde på radio och kontaktade polisen.

Karin började med att hälsa välkommen och gav en kort sammanfattning av läget. Hon hann inte hämta andan förrän salen var full av viftande händer. Hon nickade medgivande och pekade ut i lokalen.

– Vad ser ni för koppling mellan det här fallet och Vilma Eliassons försvinnande? frågade en garvad reporter från en av teves riksredaktioner.

– Inga direkta samband än så länge, vi bedriver spaningsarbetet helt förutsättningslöst, svarade Karin.

– Men ni måste väl ändå ta den händelsen i beaktande? envisades reportern.

Karin fäste blicken på honom, öppnade munnen, var på vippen att fråga hur länge han hade arbetat som po-

195

lis. Men stängde den igen innan hon hunnit så långt. Hon behövde dem, behövde pressens hjälp med uppslag. Hon måste ge dem vad de ville ha, även om det var i stort sett ingenting.

– Självklart gör vi det, men vi jobbar brett och låser inte fast oss vid en hypotes.

Standardsvar, tänkte Karin och såg att reportern tänkte detsamma. Men han hade fått tillräckligt för att kunna rapportera att polisen såg ett samband mellan de två försvinnandena, även om hon egentligen inte hade uttalat det.

– På tal om det, sa en av lokalradions journalister, vad har ni för ledtrådar så här långt?

– Det kan jag inte gå in på, men marknadsområdet genomsöks fortfarande av våra tekniker och vittnesuppgifter håller på att samlas in. Än så länge är det för tidigt att komma med några teorier.

– Har det kommit fram nåt nytt vad gäller Vilma Eliasson eller vad hon har varit med om? frågade en annan.

– Vi arbetar självklart med det fallet, men det är för tidigt att avslöja några detaljer. Jag kan bara säga att det går framåt.

Karin skruvade på sig och kastade en blick på presstalesmannen bredvid. Kunde inte Norrby bidra med något, tänkte hon irriterat. Han mötte hennes blick, smålog uppmuntrande och nickade svagt som ett tecken på att han tyckte att hon klarade det bra. Hon insåg att hon inte kunde räkna med hans stöd.

196

– Om de här fallen hänger ihop så borde rimligtvis även Heidi Forss komma tillbaka om några dar, föreslog en kvinnlig reporter.

Karin log snett, mest för att det låg något naivt och på sätt och vis fint i frågan. Att någon hoppades på att ett litet barn skulle komma tillbaka så där helt utan vidare. Och i och för sig kanske hon hade rätt, varför skulle inte Heidi bara kunna dyka upp igen när Vilma hade gjort det?

– Det kan vi hoppas på, svarade Karin och reportern log tillbaks mot henne.

– Vad händer om ett nytt barn försvinner?

En fråga från någon ute i salen. Karin höll handen ovanför ögonen, hon kunde inte se reportern. Hon bländades av lamporna som sken starkt mot podiet.

– Vi vill inte spekulera, sa hon. Det är illa nog som det är. Vi hade ett försvunnet barn som sen kom tillbaka. Nu har vi ett nytt barn som är borta, men det betyder inte...

– Har ni verkligen gjort allt ni kan? fortsatte reportern med tvivel i rösten. Det kanske är dags att ta in nya styrkor – hur är det med Rikskriminalpolisen till exempel?

– Ja, höll en annan med. Borde ni inte ta hit extern hjälp innan ett nytt barn försvinner?

Karin kände svettdroppar rinna nerför tinningen, in under skjortkragen. Det var varmt i den trånga salen. Hon kikade på Norrby, mötte hans blick, skakade lätt på huvudet. Hon orkade inte mer.

Han förstod poängen, lutade sig fram mot mikrofonen.

– Finns flera frågor som har relevans i detta fall? Med andra ord, spekulationer ägnar vi oss inte åt.

Massmedia kunde spekulera hur mycket de ville, men de kunde inte förvänta sig att polisen skulle vara med på det. Karin började må illa, hon blev lite yr och höll sig fast i bordet medan Norrby svarade på journalisternas återstående frågor.

Tanken hade slagit henne, tänk om ett nytt barn försvann, tänk om gärningsmannen redan hade valt ut ett nytt offer, en ny familj.

Den första höststormen drog in över ön. Hon trodde nästan taket skulle lyfta. Hörde hur en takpanna slog i backen med ett brak. Huset behövde renoveras. Hon hade kontaktat en hantverkare efter föräldrarnas död, hade ringt på en annons hon hittat på Coops anslagstavla i Visby. En handskriven lapp om en arbetsam och ärlig hantverkare som sökte arbete. Hon tog mod till sig och ringde. Han lät snäll i telefon, bröt på ett annat språk, hon visste inte vilket. Först verkade han inte särskilt proffsig. Hon fick hämta honom i Visby, hans bil var på verkstaden och han förstod inte var hon bodde när hon försökte förklara. Hade bara med sig en väska med lite verktyg första gången. Hon hade anlitat honom för att renovera fönstren och sätta på fönsterlås.

Det var en ung man, säkert inte äldre än tjugofem, och han verkade lite blyg och bortkommen. Det passade henne bra. Kanske var det även hans låga ålder som gjorde att hon kände sig bekväm med honom, själv var hon mer än dubbelt så gammal.

Andra gången kom han med sin egen bil och hade med sig alla verktyg som behövdes. Arbetade på fönstren riktigt effektivt. Han var snäll och hygglig, hon kände sig till och med så avslappnad med honom att hon bjöd på kaffe och bullar. Han pratade inte särskilt bra svenska, men berättade att han kom från Polen och arbetade i Sverige för att finansiera sina studier på universitetet.

Arbetet var ganska omfattande så han återvände flera gånger. Hon gladde sig åt de stunderna, att ha en levande människa i huset, någon som fyllde ut tomrummet.

När han var färdig med fönstren ville han ha betalt i kontanter, han jobbade förstås svart. Det hade hon förstått för länge sedan.

Efter fönsterarbetet ville hon att han skulle komma tillbaka igen. Det var något i hans blick, något hon drogs till. En saknad efter en annan människa, hon kände att de förstod varandra, att det fanns ett slags band mellan dem.

Hon hade börjat drömma om honom om natten, hur han kom in på hennes sovrum efter att hon lagt sig, hur han smög sig in under hennes täcke, lade sig tätt intill henne. Hon hade känt hans värme, hans händer över sin kropp.

När den unge mannen arbetade betraktade hon i smyg hans starka rygg, hur hans muskler avtecknade sig under den trånga T-shirten. Hon ville att han skulle stanna kvar. Att han skulle stanna där i huset med henne.

Hon såg på hans blick att han behövde henne, nu måste hon berätta för honom att hon också behövde honom. Men det gällde att göra det försiktigt. Hon ville inte skrämma honom, ville inte att han skulle få fel uppfattning.

– När du är färdig med fönstren..., började hon.

Hon kände att hon blev rödflammig på halsen, att hon blev svettig på ryggen. Hon ville inte att han skulle lägga märke till det. Hon slog ner blicken.

– Jag behöver hjälp med elektriciteten, byta ledningar, jag borde kanske ha ett nytt säkringsskåp, ett sånt där modernt alla har nuförtiden.

– Jag kan tyvärr inte hjälpa dig med det, svarade han och log mot henne.

– Ett sånt med automatiska säkringar, så att man slipper byta dem varje gång, det är bara som en pigg man skjuter upp eller ner.

Hon såg förhoppningsfullt på honom. Blickarna han gett henne, de måste ha betytt något.

– Jag kan ge dig numret till en elektriker jag känner, sa han vänligt. Han fortsatte le mot henne. Han är både bra och billig.

Hon grep tag i hans arm. Lite hårdare än hon tänkt.

– Jag vill inte ha nån annan, jag vill ha dig, sa hon så gällt att hans leende stelnade.

Istället tittade han konstigt på henne. Hade hon sagt något hon inte borde? Hon blev osäker.

– Det är bara det att jag litar på dig, förklarade hon. Jag vill inte ha några andra här.

– Men jag är inte elektriker, sa han och såg ut att anstränga sig för att le igen.

Men hon genomskådade honom, hon såg att han inte menade det, leendet nådde inte ögonen. Det var falskt.

– Jag förstår inte, sa hon. Du sa ju att du kunde hjälpa mig, du har fått bra betalt, mer än du egentligen skulle ha. Jag förstår inte.

– Det är inte det. Hon märkte att han höll på att bli osäker. Jag kan inte ta hand om det elektriska, jag är inte elektriker.

– Kan du inte ordna avloppet heller?

– Tyvärr, stammade han. Du måste kontakta en rörmokare. Men om du vill...

– Vad vet du om vad jag vill? Hon blev kall inombords, lyfte blicken och såg honom stint i ögonen. Vad vet du?

Hon tog ett steg framåt, kände något kallt och hårt i handen. En skiftnyckel. En sekunds förvirring. Hur hade den hamnat där?

Han stirrade också på skiftnyckeln i hennes hand, deras blickar möttes, han backade undan, hon kunde se rädslan i hans ögon. Det var inte det här hon ville, hon ville inte att han skulle bli rädd, hon ville att han skulle älska henne.

– Bli inte rädd, vädjade hon, men klarade inte av att släppa skiftnyckeln, det var som om hennes hand klamrade sig fast runt den, ville inte släppa taget. Du missförstår.

– Jag tror jag måste gå nu, sa han och gick baklänges mot dörren. Jag kan hämta mina saker en annan dag, det är inte bråttom.

– Du kan inte gå, sa hon och kände hur irritationen dunkade bakom tinningarna. Han hade lovat henne att stanna, de längtande ögonkasten han gett henne, hade han inte menat något med det? Spelade han ett spel med henne? Hur var det med alla nätter han krupit ner i hennes säng, när hon hade varit tvungen att knäppa händerna ovanför täcket för att tygla kroppen, lustarna. Hur hon hade fått be till Gud att inte inleda henne i frestelse.

– Du lovade, sa hon lugnt. Så klarade hon inte av att lägga band på sig längre. Du lovade! skrek hon.

Han vände sig om, skyndade mot dörren, slet upp den. Hon kastade skiftnyckeln efter honom, han tog sig om huvudet, blodet rann ner i hans vackra ansikte, ner på golvet. Skräcken i hans blick när han förvånat vände sig om mot henne, det var inte meningen, hon visste inte hur det gick till, hur det blev så här.

– Inte gå, skrek hon till honom. Du måste stanna hos mig!

Men han hörde henne inte. Han sprang ut, blodet droppade ner på marken, hans snabba steg över gräsmattan på väg bort, bort från henne. Hans bil utanför stenmuren, bildörren som slog igen, motorn rusade innan däcken kastade upp jord och sten och den backade ut mot vägen.

Hon sprang upp mot grinden, andades häftigt och

fick en skymt av bilen precis innan den försvann runt en krök. Hon stod där och tittade efter honom, länge. Väntade på att hjärtat skulle slå i en lugnare takt.

– Hoppas du förblöder, viskade hon.

Oron spreds snabbt bland Hemseborna när nyheten under onsdagseftermiddagen kom ut om fyraåriga Heidi Forss försvinnande. Föräldrar höll sina småbarn inomhus, och många vågade inte heller låta sina större barn gå ut ensamma. Efter den myllrande marknadsdagen blev det plötsligt märkligt folktomt på gatorna.

Att två barn försvann spårlöst på lilla Gotland inom loppet av en dryg vecka var högst allvarligt och överallt pratades det om fallen, att de måste ha med varandra att göra, att det borde röra sig om samma gärningsman. En gärningsman som polisen inte kunde hitta, en gärningsman som när som helst skulle kunna slå till igen. Ett nytt barn riskerade att försvinna. Vem skulle det bli nästa gång? Vad gjordes med dessa barn? Vad råkade de ut för?

Karin skyndade genom korridoren till spaningsledningens kvällsmöte. Fortfarande visste de inte vad

Vilma Eliasson varit med om eller varför hon kidnappades. Nu hade ytterligare en liten flicka försvunnit. Karin våndades när hon tänkte på vad som kunde ha hänt.

Wittberg viftade med ett papper i händerna när han klev in sist av alla på mötet. Nu när presskonferensen var överstökad kunde spaningsledningen äntligen samlas. Även Anders Knutas hade kommit in till polishuset för att delta.

– Pappan till den försvunna Heidi Forss finns i brottsregistret, började Wittberg ivrigt.

– Okej, sa Karin som tagit plats vid kortsidan av bordet. Alla är här. Berätta vad du vet, och vi vill gärna höra om båda föräldrarna. Hon kastade en blick på Knutas. Det kändes konstigt och ovant att sitta där tillsammans igen.

– Om vi börjar med David Forss, sa Wittberg och slängde sig ner på en stol. Han är trettiofem år gammal och arbetar natt på gummifabriken i Hemse. Han finns i brottsregistret på grund av en misshandelsdom för fjorton år sen, då han var tjugoett år gammal.

– Jaha, det var inte i går direkt, muttrade Knutas. Vad handlade det om?

– Ett slagsmål utanför Burmeisters. Han slog ner en jämnårig kompis, det var nåt fyllebråk.

– Inte helt ovanligt bland ungsorkar, inflikade Lars Norrby torrt och höjde på ögonbrynen.

– Visserligen inte, sa Wittberg. Men killen fick många

206

sparkar och slag och David dömdes till två månaders fängelse.

– Inget annat? frågade Karin.

– Jo, jag har pratat med hans chef på gummifabriken. Han säger att de misstänker att David har alkoholproblem. Arbetskamrater har känt att han luktat sprit på jobbet och en av dem har sett hur han förvarat en fickplunta i sitt klädskåp.

– Hur länge har de misstänkt detta?

– Den senaste tiden. Det har kommit plötsligt, han har aldrig visat några såna tendenser tidigare.

– Kan det ha hänt nåt, kanske? Nåt som har fått honom att börja dricka?

– Jag fortsätter gräva.

– Bra, sa Karin. Och mamman?

– Anna Forss är trettioett och arbetar som sömmerska i hemmet. Hon verkar vara en helt vanlig kvinna, ganska intetsägande. Hon förekommer inte i brottsregistret och jag har inte hittat nåt anmärkningsvärt överhuvudtaget.

Karin suckade och kastade en blick ut genom fönstret. Det var kolsvart.

– Finns det några som helst spår att gå på? frågade hon uppgivet och tittade på kriminalteknikern.

Sohlman såg trött och irriterad ut. Det syntes att den tekniska undersökningen inte gett något av värde. Han skakade på huvudet.

– Skämtar du? På en marknadsplats där hundratals människor har rört sig? Det enda vi vet är platsen där

207

mamman såg sin dotter sista gången och det var i utkanten av det lilla nöjesfält som hade byggts upp. De skildes åt i närheten av hoppborgen.

– Hur ser det ut där för övrigt? insköt Knutas. Vad finns runt omkring, menar jag?

Sohlman kliade sig i pannan.

– Tja, den ligger i utkanten av hela området och det finns en bit gräsmatta och ett litet café med några bord och bänkar. Sen leder en gångväg ut till gatan därifrån. Det ligger också en parkering på baksidan av caféet.

– Har vi fått in nåt från personalen på marknaden? frågade Karin. Till exempel caféet?

– Inte caféet än så länge, sa Wittberg. Förhören har ju bara börjat. Men kvinnan som sålde mjukglass i ett stånd bredvid hoppborgen berättade att hon lagt märke till en liten flicka i fyra–femårsåldern som hade fått en glass men tappat den i marken och börjat storgråta. Kvinnan mindes händelsen särskilt eftersom hon just då haft tomt på kunder och försökt ropa på mamman med barnet och signalera att flickan kunde få en ny glass gratis. Men mamman hade inte hört henne. Hon såg hur mamman grälade på barnet, men så fick hon nya kunder och lade inte märke till vad som hände sen. En stund senare kom mamman tillbaka och frågade om hon hade sett dottern. Hon hade uppenbarligen tappat bort henne.

Karin iakttog Wittberg medan han berättade. Glassförsäljerskans vittnesmål bekräftade Anna Forss uppgifter. Allt pekade på att en okänd människa tagit tillfället i akt och lurat med sig den kvarlämnade flickan. Så lite kunde alltså krävas för att ett barn skulle råka illa ut. Hon rös vid tanken. Var det samma individ som tog Vilma Eliasson? Vad var egentligen i görningen?

Wittberg öppnade munnen och ställde precis den fråga som snurrade runt i hennes egen skalle.

– Vad i helsike är det fråga om?

– Är det samma person eller personer som ligger bakom båda försvinnandena? Eller har vi att göra med en copycat den här gången? föreslog Norrby. Nån som har triggats av den första kidnappningen, inser att det är genomförbart och gör samma sak?

– Men i vilket syfte? frågade Wittberg. De kända pedofiler som skulle kunna komma ifråga har kollats upp. Ingenting tyder på att nån av dem skulle vara inblandad.

Karin insåg att det var lika bra att avsluta mötet så att de kunde sätta igång med allt arbete som väntade.

– Vi får koncentrera den tekniska undersökningen kring nöjesfältet och vägen ut därifrån, parkeringsplatsen, sa hon. Dörrknackning måste omedelbart komma igång i husen runt omkring, nån av grannarna kan ha lagt märke till nåt. Det här är det enda lilla halmstrå vi har just nu. Låt oss göra mesta möjliga av det.

David satt vid köksbordet mitt emot sin hustru. Klockan var över midnatt. De hade försökt peta i sig lite mat, men ingen av dem fick ner en bit. David hade öppnat ännu en flaska vin. Denna kväll drack även Anna, som om också hon behövde berusa sig för att söka tröst. Döva alla känslor. All förtvivlan och frustration. Heidi hade fortfarande inte kommit tillrätta. Det hela var som en mardröm och de var fullständigt maktlösa.

De hade pratat med varenda människa som de kände och som kunde tänkas veta vart deras dotter hade tagit vägen. Hittills hade det varit resultatlöst. Poliserna jobbade på, men än så länge verkade de inte ha hittat några direkta ledtrådar. Han och Anna hade pratat, diskuterat och vänt ut och in på alla möjligheter.

David iakttog Anna när hon smuttade på vinet.Kände att hans förtvivlan förbyttes i irritation. Irritation över henne. Tanken på alla män hon tillfredsställde i telefonen om nätterna vägrade lämna honom. Till och med nu när Heidi var borta, men kanske också därför plågade det honom ännu mer.

– Vi har inte pratat ordentligt om det du gör på nätterna, började han och hörde med en gång att det lät klumpigt.

Hon såg på honom, blank i ögonen.

– Hur kan du ta upp det nu när Heidi är borta?

Så gömde hon ansiktet bakom glaset igen, tog en klunk och såg in i den tomma väggen. Han märkte att hon ansträngde sig för att inte börja gråta, men det var väl för fan inte hans fel alltihop. Hon vred sig mot honom och tittade på honom från andra sidan bordet. Tog ännu en klunk vin och väntade. Vad väntar hon på, tänkte han. Hon var så avvaktande nuförtiden. Som om hon inte ville ta några egna initiativ till samtal, utan bara räknade med att han skulle börja. Hennes sätt retade gallfeber på honom, men han behärskade sig.

– Har du tänkt på risken med att hålla på med det du gör?

– Vad är det du insinuerar? frågade hon upprört. Heidi är borta, vi har ingen aning om var hon är och så sitter du här och anklagar mig.

Nu brast hon ut i gråt.

– Just det, vår dotter är spårlöst försvunnen och det kanske är ditt fel att hon är borta!

– Hur menar du?

Rösten darrade och tårarna rann utefter hennes kinder.

211

– Vilka typer lockar inte du till dig? Torskar som är ute efter att köpa sex. Och du säljer dig villigt! Men har du ens en gång tänkt på att du lika gärna kan dra till dig pedofiler eller andra galningar med perversa idéer? Det kan vara ditt förbannade jobb som har gjort att Heidi är borta!

Anna gömde huvudet i händerna. Han stod inte ut med att se henne längre. Gick ut och smällde igen dörren efter sig.

– Förlåt, sa hon stillsamt. Men hon var ensam i rummet och det fanns ingen där som kunde krama om henne och ge henne förlåtelse. Det var bara hon där, och hon kunde inte förlåta sig själv.

Knutas sov längre än vanligt. Han insåg att han skulle missa spaningsledningens morgonmöte, men blev ändå kvar i sängen. Kunde inte förmå sig till att kliva upp. Visste att ingen räknade med honom i alla fall. Förutom Karin kanske. Han ville träffa henne, längtade efter henne. Samtidigt var det slitsamt att inte få ta på varandra när de var på jobbet, kramas och kyssas. Det kanske blev lättare med tiden att arbeta ihop, när de blev lite mer vana vid situationen.

Tankarna på Line och skilsmässan hade skingrats den senaste tiden. Visst kunde de dyka upp då och då, men hopplösheten kändes inte lika stor även om sorgen till viss del fanns kvar.

Han funderade över händelsen på Ica dagen före. Mannen som stirrat på honom, Stefan Norrström. Var det en tillfällighet eller inte?

Så fort han kommit hem hade han låst dörren om sig, vilket han inte brukade göra förrän han gick till sängs. Nu kände han sig plötsligt otrygg i sitt eget hem. Kom på sig själv med att lyssna efter ljud. Han kunde inte koppla av. Tänkte att han skulle ringa Karin och berätta, men bestämde sig för att avvakta. Hon hade fullt upp med det nya försvinnandet.

Kanske skulle han ringa sin kollega i Stockholm, Kurt Fogestam, som också var med på Gran Canaria när dödsolyckan inträffade. De satt faktiskt i samma bil.

Idén gav honom tillräckligt med energi för att komma ur sängen. Jag måste gaska upp mig, tänkte han. Det här går inte längre. Han gick ut i badrummet och ställde sig i duschen. Lät vattnet spola både länge och väl. Tvålade in sig grundligt och tvättade håret. Rakade sig. Snabbt kom han i kläderna och gick ner till köket för att koka kaffe. Halvvägs in i köket stelnade han till. Blicken på kaffebryggaren. Den stod redan på. Pysande och gurglande. Kaffe droppade ner i den väl använda glaskannan, doften nådde hans näsborrar.

Han stannade upp, blev stående blick stilla. Avvaktande, lyssnande. Ögonen vilade på kaffebryggaren. Höll han på att bli tokig? Hade han redan varit nere och satt på den? Innan han gick in i duschen? Men då skulle kaffet ha varit färdigt för länge sedan, han hade tillbringat en god stund i badrummet. Eller hade han gått ner i köket och satt på kaffet innan han rakade sig? Ibland gjorde han så, satte på kaffebryggaren medan han duschade till exempel – om han var på väg till jobbet och hade bråttom. Hade han gjort samma sak den här gången? Han blev osäker, mindes inte. Han var så förvirrad nuförtiden, kom inte ihåg saker. Han kände inte igen sig själv.

Långsamt lät han blicken glida runt i rummet. Köksklockan tickade, blandade sig med puttrandet från kaffebryggaren. Utanför fönstret regnade det igen, han såg en mamma skynda iväg med barnvagn på gatan, hukande under paraplyet. Blommorna i fönstret slokade lite. Han hade glömt att vattna. Så välbekant allt var, tapeterna, gardinerna, kalendern på väggen, köksbonaden som hans mamma sytt. Ändå kändes det främmande, som om han inte hörde hemma här. Det var sig inte likt.

Att Stefan Norrström tagit sig in i hans hus, var det nästa steg? Att han bröt sig in och hotade honom på detta subtila sätt. Och i så fall – uppehöll han sig fortfarande i huset? Rädslan grep tag.

Med försiktiga steg lämnade han köket och gick ut i hallen. Kände på dörren. Den var olåst. Han trodde att han låst ytterdörren föregående kväll. Eller hade han inte gjort det? Kanske var han så uppskakad av mötet med Stefan Norrström i livsmedelsbutiken att han glömde låsa. Han insåg att han inte kunde vara säker på någonting längre. Fast han hade ett bestämt minne av att han hade vridit om nyckeln när han kom hem, vilket han inte brukade göra. Kunde det vara så att när han skulle låsa om sig för natten gjorde tvärtom och ställde upp dörren istället?

Han fortsatte ut i vardagsrummet, kände på altan-

215

dörren – den var åtminstone ordentligt stängd, gick sedan uppför trappan till övervåningen, sökte igenom alla rum. Ingen var där.

Han satte sig på sängen, andades ut. Kanske var det hans egen förvirring som spelade honom ett spratt. Stefan Norrström hade kanske bara råkat vara i affären samtidigt och fått syn på honom. Det var egentligen inte alls konstigt att han stirrade med tanke på vad som hänt. Det hade han väl själv gjort i motsvarande situation. Tanken lugnade honom. Det oväntade mötet i butiken behövde inte betyda något. Troligen handlade det bara om en tillfällighet.

Så var det nog.

Karin insåg att Visbypolisen behövde hjälp och hade talat med sin kollega på Rikskriminalen i Stockholm, Martin Kihlgård, under torsdagen. Som tur var kunde han komma med kort varsel och lovade att flyga över till Visby fortast möjligt. Fallet med den försvunna Heidi Forss hade väckt uppmärksamhet i hela Sverige och polisen hade ögonen på sig från alla håll.

Lagom till lunch på fredagen anlände Kihlgård till polishuset. Med sig hade han två kolleger. Den storvuxne och fryntlige Martin Kihlgård var mycket populär i polishuset och hade varit i Visby många gånger för att hjälpa till med olika fall. Vanligtvis handlade det om mord, men nu var det en annan sak. Polisen måste göra allt som stod i dess makt för att hitta flickan. Varje timme var dyrbar.

Efter att ha hälsat på alla och presenterat sina kolleger tog Kihlgård Karin lite avsides.

– Vad sägs om att uppdatera mig över en lunch, medan mina kolleger bekantar sig i huset?

Karin kunde inte mer än skratta. Kollegan var sig lik. Alltid hungrig, alltid redo för en måltid.

– Det låter som en ypperlig idé.

De båda kollegerna gick iväg själva. Karin kände hur mycket hon hade saknat honom. Det fanns en speciell kemi mellan de två, det hade det gjort ända från början. Kihlgård fick henne alltid på gott humör.

De slog sig ner på restaurang Lindgården nere på Strandgatan, en av Kihlgårds favoriter. Han beställde in sillbricka till förrätt och lammfilé som huvudrätt. Karin nöjde sig med en räksallad.

Karin sammanfattade läget och berättade om det senaste som framkommit om David Forss. Martin Kihlgård lyssnade uppmärksamt.

– Och du tror att det är nåt han döljer?

– Ja, jag är säker på det, det är nåt han inte vill berätta, det är helt klart.

– Vad skulle det vara?

Kihlgårds blick gled från Karin över till servitrisen som kom bärande på hans sillbricka. Han tittade lystet på anrättningen och högg in på den så fort tallriken placerats framför honom. Den var egentligen avsedd för två.

– Jag vet inte, men nånting är det och det kan inte vara en skitsak. Hade det varit nåt oväsentligt så hade han inte reagerat på det sätt han gjorde.

– Hur då?

218

– Jag märker att det är nåt viktigt. Nåt som tynger honom.

– Har nån pratat med hans anhöriga? Vänner? Släktingar? Arbetskamrater? Grannar?

Karin suckade och petade i sin sallad.

– Wittberg håller på med det där. Jag vet ärligt talat inte hur långt han har kommit.

– All right, det blir det första vi tar tag i.

Kihlgård torkade sig om munnen och tittade nyfiket på henne.

– Och hur går det med Knutte?

Karin kände till sin förargelse att hon rodnade.

– Jo, bra, tror jag. För att vara helt ärlig har jag aldrig varit så förälskad. Jag vet inte vad det är, det är som om vi förstår varandra, som om vi har en helt speciell kommunikation.

– Det låter precis som det är mellan mig och Jean-Paul, utbrast Kihlgård, som var homosexuell och hade en mycket yngre pojkvän från Frankrike sedan många år tillbaka. Och så har det varit ända från första början!

– Jag är bara orolig för honom nu. Han mår inte så bra, som du vet. Han har fortfarande inte kommit över det som hände på Gran Canaria. Jag vet inte varför det har tagit honom så hårt.

– Jag har tänkt på det där. Man brukar ju prata om att ifall en människa har upplevt ett trauma som man inte kommer över så kan det vara bra att konfronteras med det.

219

– Hur då?

– Nu är ju Knuttes trauma starkt förknippat med en plats, eller hur? De kanariska bergen. Han kanske helt enkelt borde åka tillbaka dit.

– Vad skulle det var bra för?

– Möta platsen där det hände igen. Få nya minnesbilder. Jag tror det skulle kunna hjälpa.

– Du kanske har rätt, sa Karin eftertänksamt. Men det är inte bara det, jag tror inte att han har kommit över skilsmässan helt. Det är som om han bär på en stor sorg.

– Men så måste det få vara. Tänk på att det inte alls var länge sen skilsmässan gick igenom. De var väl ihop i över tjugo år, inte sant? Ett långt vuxenliv tillsammans sätter naturligtvis spår, konstigt vore det annars.

– Jovisst. Karin suckade. Jag tycker bara att det är vår tur nu.

– Men det är klart, sa Kihlgård och sträckte fram en tröstande hand över bordet. Visst är det så. Du måste nog ha lite tålamod, det är bara det jag menar.

Kyrkan var nästan fullsatt. Bortrövandet av barnet bidrog säkert. Ängslan förde människorna närmare varandra. Hon hade svårt att sitta stilla under gudstjänsten, trots att prästen var karismatisk och talade väl. Församlingsbornas blickar hängde fast vid honom. Som om han skulle kunna rädda barnet. Hitta det och föra det tillbaka. Ingen visste vad som hänt eller var fyraåringen befann sig. De sökte tröst hos prästen och varandra.

När gudstjänstens sista psalm tonat ut reste hon sig så fort hon kunde och gick mot kyrkporten. Ville komma hem snabbt. Under armen bar hon en mapp med papper.

Utan förvarning stod hon plötsligt där. I kyrkgången, ansikte mot ansikte. Hon kände igen henne direkt. Blicken, ansiktsdragen, håret. De kom helt nära var-

221

andra. En sekunds förvirring. Nu stod hon där, bara en halvmeter ifrån.

Hon ryckte till så kraftigt att mappen for i kyrkgolvet. Hon såg på medan mappen öppnade sig, papperen flöt ut över golvet. Blev liggande stilla. Hon skulle vilja låta dem ligga där, men hon kunde inte. Hjärtat bultade vilt i bröstet, händerna skakade. Hon böjde sig ner, ville inte se kvinnan i ögonen, rafsade ihop arken. *Låt mig hjälpa till*, sa den andra. Satte sig på huk och började plocka ihop papper. Undvek att möta blicken. Ville inte se. Inte ha kontakt. Viftade avvärjande med händerna. *Det behövs inte*, mumlade hon. *Det går bra.*

Kvinnan fortsatte ändå. Om hon bara kunde sluta. *Nej, nej, jag vill inte. Jag klarar mig själv, behöver ingen hjälp.* Hela kroppen darrade, hon var svettig under armarna. Munnen var alldeles torr. Hon försökte fukta läpparna medan hon rafsade ihop bladen. Huvudet nedböjt, ville inte möta blicken. *Får inte. Kan inte. Låt mig slippa.*

Kyrkobesökarna strömmade förbi dem. Hon böjde nacken, inte titta. Inte se henne i ögonen. *Sluta människa, sluta plocka mina papper. Rör dem inte.* Stressen fick händerna att skaka så att hon tappade de ark hon hade lyckats plocka upp, mappen halkade ur hennes händer igen och återigen flög blad åt alla håll.

Snälla människa, sluta. Gå härifrån. Gå din väg.

När hon äntligen var på väg ut kallsvettades hon och benen ville knappt bära henne. Hon skyndade därifrån. Hon mådde illa. Det kändes som om hon skulle kräkas. Kvinnan bakom försökte säga något men hon låtsades som ingenting. Fortsatte bara ut. Vände sig inte om.

På lördagsmorgonen tog Knutas bilen och körde upp till sommarstugan. Han måste dit och leta efter katten igen. Det var en vacker dag med sol och friska vindar.

I Lickershamn var det stilla, många hus var obebodda under vinterhalvåret. När han körde in i det lilla kustsamhället hälsade han ändå på några bekanta som var ute och promenerade. Det blåste från havet och de hukade sig i vinden, men log glatt mot honom och vinkade. Han andades ut, kände genast hur lugnet spred sig i honom när han kom hit.

Han tänkte på vad Karin sagt när de talat i telefon föregående kväll. Att han kanske skulle åka tillbaka till Gran Canaria och platsen för olyckan. Hon hade erbjudit sig att följa med. Kanske hade hon rätt, kanske var det enda sättet. Han hade gärna haft Karin med sig nu, men hon var tvungen att jobba.

Han svängde in på grusvägen mot huset. Den löpte

parallellt med strandkanten. Ute till havs gick vågorna höga. Han skulle ta en promenad och ropa på Elsa. Han hade inte gett upp hoppet om att hitta henne.

Han stannade till vid brevlådan. En granne brukade ta in tidningen när han var i stan, men kunde ha missat. Han hade ju inte varit här på en vecka. Han hade tillbringat så mycket tid i sommarstugan sedan han blev sjukskriven att han beställt tidningen dit istället för till hemmet i Visby. Ett snabbt obehag genom kroppen när han petade upp locket, han tänkte på den döda fågeln han hittat. Nu låg där bara en tidning, det var dagens. Lite lättad fortsatte han framåt, svängde in på tomten och parkerade nere vid grinden.

På håll såg allt ut att vara oförändrat. Den enkla trästugan, gråmålad med blått kring fönstren, boden borta i hörnet. Trädgårdsmöblerna stod på sin vanliga plats. Gräsmattan var återigen täckt av löv. Han tittade upp på skorstenen, lite murbruk hade fallit av, han borde bättra på den. Det fick bli till våren.

Han plockade ut matkassar och en bag ur bilen, började gå upp mot huset.

Så tvärstannade han. Något låg på farstukvisten. Ett dött djur. Blod. Röda fläckar på hela trappan. En räv, var hans första tanke. Upphackad av fåglar, därav slamsorna och blodet. Men djuret var mindre, pälsen hade mörkare färg. Hjärtat slog hårt i bröstet. Snabbt såg han sig om. Plötsligt tycktes tomten otäck, skogskanten bakom skrämmande. Träden böjde sig i vinden, ville den säga honom något? Varna honom?

Han släppte greppet om matkassarna, fortsatte framåt. Långsamt nu, avvaktande. Blicken på farstukvisten, på djuret som låg där. Tårarna steg i ögonen. Han kunde inte värja sig nu.

Till slut hade han hittat Elsa.

Nej, nej, det tänker jag inte svara på! David stod inne i sin hustrus syateljé, han tryckte mobiltelefonen mot örat medan han med den andra handen grep hårt om ett glas. På bordet framför honom stod en halvtom spritflaska. Han satte ifrån sig glaset, fyllde det med mera sprit innan han tog en slurk.

– Jag tror att du har missförstått, det är jag som ställer frågor, inte du... Vad fan? Hallå? Hallå!

Han stirrade irriterat på telefonen innan han slog numret igen, väntade tills någon svarade.

– En sak ska du veta innan du slänger på luren igen. Svarar du inte på frågan, ditt jävla svin, så ringer jag din fru och till ditt jobb och berättar vilken jävla horkarl du är! Din förbannade torsk!

Det blev tyst i andra änden.

– Jag vill veta allt du gjorde i onsdags och exakt var du befann dig – varenda minut av dan! Och det är säkrast för dig att du berättar allt för mig, jag kommer att kontrollera vartenda ord. Och om du inte gör som jag säger tänker jag slita av dig...

– David!

Han vände sig häftigt om. Anna stod i dörröppningen med röda ögon, klädd i en beige, tunn kappa. Håret var rufsigt. Hon hade varit ute och gått i vinden, i kylan. Hon såg både nedstämd och chockerad ut.

– Jag hittade din jävla mobiltelefon till sist.

– Snälla David. Lägg på, bad hon.

– Kan du hålla käft! skrek David in i telefonen så att saliven stänkte. Han kastade en blick på Anna. Det var inte menat till dig, förklarade han ursäktande. Han sluddrade på orden. Det var till... vad fan var det nu han hette? Han började rota i några papper han hade framför sig, råkade välta flaskan så att spriten flöt ut över bordet och lade sig i våta små pölar.

– Fan, mumlade han och reste med fumliga fingrar upp flaskan igen, tog en av tygresterna som låg där och började torka upp. Han släppte stuvbiten och plockade upp ett papper, läste högt innantill.

– Jens von Schlyter... Vem fan har ett sånt snobbnamn? Han vände sig mot Anna som började gråta, fortfarande med mobilen tryckt intill örat. Han säger att han inte känner dig, inte som Anna i alla fall. Inte som Anna, min hustru, mamman till vårt barn. Han känner dig bara som troslösa Tina som är så jävla duktig på att räkna till tjugo. Vem i helvete blir kåt av att höra nån räkna till tjugo?

Återigen riktade han sin uppmärksamhet mot telefonen.

– Vem fan är det som blir kåt av att höra nån räkna till tjugo? skrek han. David höll fram mobilen mot Anna. Kom hit! beordrade han henne.

Hon skakade på huvudet, grät.

– Kom hit, röt han igen.

En röst i telefonen.

– Förlåt, vad sa du… det ger du fan i, du stannar kvar tills jag säger att det är okej att du lägger på! Davids röst vibrerade av raseri. Kom hit, sa han igen till Anna.

Hon höll sig fast i dörrkarmen, vägrade. Han svalde hårt.

– Kom hit, insisterade han.

Hon tog ett tvekande steg in i rummet.

– Snälla David, bad hon. Lägg ifrån dig telefonen så vi får prata. Kan inte du och jag prata istället?

– Klä av dig, sa han in i telefonen. Det blev tyst i andra änden. Du hörde vad jag sa, klä av dig, din jävel!

– Sluta, viskade Anna. Sluta.

David knycklade ihop papperet han fortfarande höll i och kastade det ifrån sig, tog ett steg mot Anna, grep tag i hennes hår och drog ned henne på golvet. Han gav henne mobilen.

– Räkna till tjugo, sa han kallt.

– Snälla, vädjade Anna enträget och grabbade tag i hans byxben.

Han slet sig loss och grep efter glaset på bordet.

– Räkna, väste han och tog en djup klunk.

– Ett, sa Anna lågt i telefonen, två…

Hon såg vädjande på honom. Han höjde handen hotfullt mot henne. Ögonen blixtrade.

– Tre, viskade Anna och sänkte blicken. Fyra, fem, sex.

Anna satt på knäna, mobiltelefonen tryckt mot örat, blicken ner i golvet.

– Tolv, tretton, fjorton…

– Snälla, gör det inte. Sluta, hördes en röst i telefonen.

– Tolv, tretton, fjorton…

– Snälla…

David stod och såg på henne där hon satt på golvet, den blottade nacken, den böjda ryggen. Plötsligt stillnade något inom honom. Han fick lust att sträcka ut handen, lägga den på hennes axel, säga till henne att sluta, lägga ifrån sig telefonen. Hon skulle vända sig emot honom, han skulle hjälpa henne upp från golvet och de skulle gå ner och sätta sig i soffan, hålla om varandra. Se på varandra. Heidi skulle komma tassande nerför trappan på nakna barnafötter och… han svalde, ögonen började rinna, Heidi skulle komma nerför trappan på bara fötter… Och allt skulle bli bra.

Bara bra.

230

Sent på lördagskvällen gav Karin upp och lämnade polishuset. Inget nytt hade kommit in i sökandet efter Heidi Forss och hon kunde inte tillföra mer. Dessutom fladdrade tankarna på Anders runt i huvudet och störde koncentrationen. Han hade ringt från sommarstugan och sagt att han hade något att berätta. Han hade ändrat planerna på att sova över där, ville tillbringa natten med henne istället. De bestämde att hon skulle komma hem till honom efter jobbet, hur sent det än blev.

Hon undrade vad det var han ville prata om, han hade låtit allvarlig på rösten. Det oroade henne. Bara han inte kommit på att han ville ha en paus eller något sådant. Han var ju deprimerad, man kunde aldrig veta. Kanske hade han kommit på andra tankar när det gällde deras förhållande, kanske hade han pratat med Line. Hon visste hur kär han hade varit i sin hustru och Line fanns som ett ständigt hot i bakgrunden. Men det var väl också som Kihlgård hade sagt till henne, hon måste ha tålamod. När mer tid lades bakom skilsmässan så skulle förhoppningsvis Lines inflytande minska.

Knutas såg trött ut när han öppnade, men han log och gav henne en lång kram.

– Hej, älskling, viskade han i hennes öra. Orden värmde. Hur har det gått?

– Inte så bra, det är jobbigt att vi inte kommer nån vart.

Hon ville inte prata om sitt, var mest spänd på vad han hade att säga. Hon tog av sig jackan och sparkade av sig skorna.

– Är du hungrig?

– Nej tack, vi åt på jobbet. Men ett glas vin skulle vara gott.

– Visst. Sätt dig i vardagsrummet så kommer jag.

Hon slog sig ner i soffan. Hörde honom klirra med glasen i köket. Vad hemtrevligt det lät. Hon tyckte det var underbart att ha någon att komma hem till. Det var ett tag sedan hon gjorde slut med den ende pojkvän hon haft på många år. Det höll ändå inte så länge. Men något av det hon saknat mest från den tiden var just det där med att vara två. Att slippa vara ensam. Tänk vad fort behov skapas, tänkte hon. Har man det inte tänker man inte så mycket på det, men får man det så saknar man det direkt när man inte har det längre.

Hon kände sig lite nervös och hoppades att det inte var något tråkigt besked Anders skulle komma med. När de talat tidigare på dagen hade han låtit allvarlig,

232

velat vänta tills de sågs med att berätta vad det handlade om.

Strax var Knutas tillbaka med en flaska och två glas. Han tände stearinljus och ordnade snabbt en brasa i öppna spisen. Hon betraktade honom medan han pysslade. Vad fin han var. Han hade en grå tröja och jeans. Han hade lagt på sig några kilo och ansiktet hade inte sin vanliga friska färg. Han såg trött och sliten ut.

– Vad var det du ville tala om? frågade hon och smuttade på vinet.

Ögonen vilade på honom.

– Det är några saker som har hänt på sistone som jag inte berättat för dig.

Karin kände hur hela kroppen spändes. Nej, nej. Säg inte det. Det fick inte vara något med Line. Att hon ångrat sig. Att han ångrat sig. Hon såg redan sin lycka flyga på lätta vingar ut genom fönstret. Lägg av, tänkte hon i nästa sekund. Varför detta katastroftänkande? Skärp dig. Fast hon kunde inte hjälpa att hon såg avgrunden öppna sig framför fötterna. Det var något med hans blick som oroade henne.

– Det är en sak som har hänt, egentligen flera den senaste tiden, började han. Konstiga incidenter som jag inte har velat säga nåt om eftersom jag har tänkt att det har varit tillfälligheter, men nu börjar jag faktiskt undra.

Karin kände en svag lättnad. Det här verkade handla om något annat än att han hade betänkligheter gällande deras förhållande. Hon satte sig rakare upp i soffan.

233

– Vadå för incidenter?

Han berättade om måsen i brevlådan, katthalsbandet på trappan till sommarstugan, mötet med Stefan Norrström i mataffären, kaffebryggaren som oförklarligt stått på en morgon och till sist den döda katten på farstukvisten. När han radade upp händelserna efter varandra hörde han själv att det lät mycket. Kanske för mycket för att kunna bortförklaras som tillfälligheter.

– Det där låter inte bra, sa Karin. I och för sig går det väl att tänka sig en naturlig förklaring till var och en av händelserna, men sammantaget blir det lite för omfattande för att man ska tro att allt är en slump.

– Det inbillar jag mig inte längre heller, suckade Knutas. Jag undrar bara vad han är ute efter. Om det nu är Stefan Norrström som ligger bakom allt.

– Han kanske bara vill skrämmas. Eller få din uppmärksamhet?

– Ja, men vad ska jag göra, tycker du?

Karin tänkte efter en stund, smuttade på vinet.

– Det är ju inga direkta hot, så du kan knappast anmäla honom. Kanske borde du försöka prata med honom, höra efter vad det är han vill.

– Hur då?

– Sök upp honom, du vet ju var han bor. Åk till gården i Kyllaj och konfrontera honom. Det är nog lika bra att ta saken i egna händer. Jag kan följa med om du vill.

– Tack, men det här ska jag nog klara ensam.

Det blev tyst en stund.

– Du kanske har rätt... sa han eftertänksamt. Det är kanske precis vad jag borde göra, ta kontrollen själv istället för att bara vänta på nästa drag.

Han såg in i hennes mörka ögon. De glimrade i ljuset från den öppna brasan och stearinljusens sken. Han kände hur mycket han längtat efter henne. Egentligen längtade han efter henne hela tiden när hon inte var där.

Han ställde undan sitt vinglas och tog Karin i sina armar. Han kysste henne.

– Visst är det vi två nu?

– Ja, om du vill. Det är vi två.

Knutas reste sig, släckte den falnande brasan, blåste ut stearinljusen. Lyfte upp Karin i famnen, bar henne uppför trappan, in i sovrummet. Hans läppar mot hennes medan han klädde av både henne och sig själv. Kysste henne, smekte henne. Ville aldrig sluta.

Nu var det de två.

Vattnet var mörkt, blankt och stilla. Eftermiddagen nalkades och det började skymma så smått. Det skulle inte dröja länge förrän gotlänningarna gick in i en årstid när det aldrig blev riktigt ljust. Månader av ett kompakt grådis låg framför dem när mörkret smög sig på så tidigt som runt tretiden på eftermiddagen. Det märktes redan nu. Det vilade något trolskt över Lojsta träsk, en av Gotlands djupare sjöar. Namnet användes lite slarvigt på grund av dess läge vid Lojsta slott, en forntida befästning, inte långt från den berömda heden där gotlandsrussen rörde sig vilt som i gamla tider. I själva verket utgjordes träsket av tre sjöar med olika namn; Rammträsk, Lillträsk och Broträsk. De låg bredvid varandra, den ena avlöste den andra.

Paret som var ute på en långpromenad hade kommit till Broträsk när hunden började uppföra sig konstigt. Just detta område låg för det mesta öde. Fast paret som rastade sin hund, Anneli och Lars Johansson, tyckte om att traska långt och de var inte rädda för oländig terräng, snarare tyckte de om att få anstränga sig lite när de var ute i skog och mark och valde därför ofta promenadstigar där ingen annan gick. Stigen de vandrade på var nästan helt igenväxt och ledde förbi en övergiven badbrygga som var så gisten att den såg ut att när som helst kunna sjunka ner i sjön. Här låg inga båtar längre och inga badgäster sökte sig hit.

Plötsligt verkade jycken få fnatt. Han hade fått vittring på något och först trodde de att det rörde sig om rabbisar eller kanske ett rådjur. Men boxern for rätt ut i vattnet och in i vassen som stod hög intill den murkna bryggstumpen.

– Vad tog det åt Nero? utbrast Lars och gick ut på bryggan för att se vad det var som fångat hundens intresse.

– Var försiktig, förmanade hans fru som stannade vid strandkanten. Bryggan kanske inte håller.

– Vad fan är det för nåt? Vad håller han på med?

Visserligen var deras hund energisk men de hade aldrig sett honom så här uppeldad. Han hoppade omkring i vattnet och skällde vilt.

– Det är nåt här, ropade han till Anneli. Jag måste kolla.

Hunden var nu mitt inne i den snåriga vassen, det var omöjligt att se vad han fått korn på.

Lars prövade att kliva ut i vassen från bryggan men det var djupare än han räknat med och han sjönk ner i dyn. Gummistövlarna sögs fast i sjöbotten med en

237

sådan kraft att det nästan kändes omöjligt att dra upp dem igen. Han tog i av alla krafter och lyckades slutligen ta sig upp genom att ta stöd mot bryggan. Jycken skällde oavbrutet under tiden.

– Vad gör du? ropade Anneli. Vad är det med Nero?

– Jag vet inte, jag ser inte. Men det är nåt där.

Lars klev upp på bryggan, skakade av lera från stövlarna så gott han kunde och gick iland. Han såg sig omkring. Nu hördes att Nero satt tänderna i något. Han morrade, bet och skällde om vartannat. Det bara tilltog i styrka. Till råga på allt började det regna.

– Helvete, fräste Lars.

Fattades bara det. Det var stressande att höra hur hunden blev mer och mer upphetsad utan att kunna se efter vad det var.

Båda började leta efter något att peta undan vassen med. Lars slet av en lång, kraftig gren och stegade tillbaka ut i sjön. Lyckades föra den täta växtligheten tillräckligt långt åt sidan för att få syn på vad det var som hunden slet och drog i.

– Kom här och titta! ropade han till sin hustru.

En stor amerikakoffert låg och flöt i vattnet. Det var en gammal modell som såg ut att vara i läder. Med hjälp av grenen lyckades Lars föra den längre in mot land. Han klev ut i vattnet och tog tag i ett av handtagen på sidan. Drog upp kofferten ur vattnet, den var tung och otymplig. Hunden skällde upphetsat och hoppade omkring väskan, morrade och försökte återigen bita tag i den.

– Undrar om den går att öppna, muttrade Lars och gav sig på de gamla mässingsbeslagen.

Med ett klick gick låset upp. Anneli stod bredvid honom och väntade spänt. Långsamt fällde han upp locket, skrek till och ryggade tillbaka några steg när han upptäckte innehållet. Locket slog igen.

Han kastade en blick på sin hustru som stod stilla och höll bägge händerna över munnen. Han såg att hon andades häftigt. Tårar trängde upp i hennes ögon.

Med nerverna på helspänn närmade han sig långsamt och öppnade locket ännu en gång. Hunden skällde vilt bredvid honom. Synen som mötte dem skulle etsa sig fast i deras medvetande för alltid.

I kofferten låg en död kvinna hoptryckt. Huvudet var blodigt, men håret tjockt, mörkt och levande. Som om det inte hörde till.

David Forss slog upp ögonen. Tittade rätt in i en grå kudde, låg med näsan tryckt emot. Det tog några sekunder innan han förstod att han låg på soffan i vardagsrummet. Vände sig om, tittade ut i rummet; bokhyllan med deras bröllopsfotografi, bilder på Heidi. Soffbordet med flera tömda spritflaskor och ölburkar uppradade, några låg på golvet. Han fick en obehaglig känsla av att vara ensam. Hade Anna lämnat honom?

Han vacklade ur soffan, yrsel och illamående slog till. Han blev tvungen att springa till toaletten. Kräktes häftigt, blev liggande över toastolen. Huvudet dunkade. Han kom inte ihåg vilken dag det var. Vad hade de gjort i går kväll? Hur hade kvällen slutat? Diffust minne av gräl, han hade druckit en massa. De hade bråkat, det var han säker på, men han kunde inte erinra sig hur det hade slutat. Låg Anna där uppe? Det var ljust ute. Han stapplade uppför trappan, höll sig i ledstången, kväljningarna rörde sig upp och ner genom kroppen. Försökte hålla huvudet stilla. Inte ett ljud hördes.

Han tittade in i sovrummet. Sängen var bäddad. Allt prydligt. Hade hon inte ens sovit där under natten? Långsamt vände han sig om. Huvudet snurrade, magen var i uppror. Ny vända på toaletten på övervåningen. Han spydde som en gris. Det tog ett tag innan han förmådde resa sig. Baddade ansiktet med kallt vatten. Sjönk ner på golvet i korridoren utanför. Dörren till hennes syateljé var stängd. Hon hade börjat låsa den. Han hade ingen kontroll längre.

Han bankade på dörren med knytnäven, ingen svarade. Han slog igen, hårdare.

– Öppna, för fan! hörde han sin egen röst.

Så sparkade han in dörren så att låset gick sönder och han kunde stå och se in i det tomma rummet.

Han gick långsamt bort till sängkammaren. Öppnade garderoben. Anna hade köpt en träningsoverall till honom för något år sedan. Men han hade aldrig använt den. Han hade trott att hon ville ha honom i bättre form, men nu förstod han, hon ville ha ut honom ur huset. Han knöt skosnörena på de oanvända joggingskorna som hörde till, drog upp dragkedjan på jackan, ända upp i halsen.

Allt runt honom försvann, blev otydligt och konturlöst. Han såg ut genom fönstret. Regnet hängde i luften. Det var en fin dag att försvinna på.

Larmet kom till polisen klockan 16.32. En dryg timme senare rådde redan full aktivitet nere vid den ödsliga bryggan som mynnade ut i Lojsta träsk. Platsen spärrades av och paret som hittat kroppen fick åka iväg till polisstationen för förhör. Kriminaltekniker Erik Sohlman och hans medarbetare satte genast igång med den tekniska undersökningen.

När Karin Jacobsson anlände tillsammans med Martin Kihlgård hade det hunnit bli mörkt. Resväskan hade just fiskats upp ur vattnet och för att se vad som skedde blev de utrustade med varsin ficklampa. Väskan var av en gammaldags sort, en koffert i oxblodsfärgat läder med mässingsbeslag och läderremmar runt om. Sohlman öppnade den försiktigt. När han lyfte på locket ryggade de tillbaka några steg. Där låg en liten, späd kvinna hoptryckt. Hon var klädd i jumper, svart kjol och långkofta. Håret hängde långt och mörkt ner på axlarna, det var vått eftersom vatten sipprat in i väskan. Huvudet var blodigt, liksom hennes kläder. Hon hade krosskador i skallen.

Karin kände ögonblickligen igen kvinnan.

– Det är ju Heidis mamma, flämtade hon. Anna Forss.

– Herregud! utbrast Wittberg. Jag pratade med henne så sent som i går.

Sohlman satte sig på huk, studerade kroppen närmare.

– Hon har blivit ihjälslagen, konstaterade han. Och det rejält. Titta här, i pannan. Hon har ett långt jack.

– Usch, vad otäckt.

Karin ryste till. Hon hade alltid haft svårt för att se döda människor på nära håll. Det var overkligt att tänka sig att hon hade pratat med Anna Forss, livs levande, bara några dagar tidigare. Och där låg hon nu, kall och död, i väskan. Tankarna rusade i huvudet. Först försvann dottern Heidi och nu hittades mamman död. Karin vände sig till Kihlgård.

– Vi måste få tag i David Forss. Omedelbart.

– Kroppen måste transporteras till Rättsmedicinska så fort som möjligt, sa Sohlman. Här kan hon inte ligga.

– Hur länge tror du att hon har varit död? frågade Karin.

– Inte så länge, likstelheten har börjat, men är inte fullt utvecklad. Jag skulle gissa på max sex, sju timmar.

– Alltså har hon dödats i dag, närmare bestämt nån gång i förmiddags.

– Det är det troliga. Nån har slagit ihjäl henne och sedan lagt henne i väskan och dumpat henne här. Det

243

finns färska bilspår i marken, gärningsmannen har kört ner till vassen och dragit ut väskan i sjön.

– Vi måste vidga sökområdet. Det kan vara så att Heidi också finns här.

Senare på söndagskvällen kom David Forss in till polishuset för förhör. Han såg helt annorlunda ut än senast de träffades. Karin hade i och för sig blivit förvarnad. Wittberg som varit med för att hämta honom hade hunnit prata med henne på vägen tillbaka. Polisen hade bankat på dörren en bra stund innan han till sist öppnade. Han stank av sprit och var fortfarande inte helt nykter. Förstod inte alls varför de sökte upp honom.

När de berättade att hans fru hade hittats mördad bröt han ihop och de var tvungna att först ta honom till lasarettet. Där fick han nyktra till och tala med en psykolog, dessutom se sin döda hustru på bårhuset och bekräfta att det verkligen var hon som låg där.

Han verkade fullständigt slut när han stapplade in i förhörsrummet, stödd av en vakt som höll honom under armen. Han damp ner på stolen mitt emot Karin och glodde på henne med tom blick.

– Kan du berätta när du senast såg din fru?

– Det var i går kväll.

Han strök luggen ur ögonen. Han såg verkligen förskräcklig ut, tänkte Karin. Blek, rödögd och orakad.

– Vad gjorde ni?

– Vi var hemma och... ja, jag drack ganska mycket vin. Och så började vi gräla, sen så... minns jag inget mer.

– Du minns inte?

– Nej.

– Så vad hände sen?

– Jag vet inte... Jag måste ha somnat i soffan. Jag vaknade vid ettiden i dag och var rejält bakfull. På bordet stod en halv flaska vodka, men jag kommer inte ihåg att jag har druckit ur den. Jag minns ingenting. Anna var inte där... hon var borta...

– Så vad gjorde du?

– Jag letade efter henne. Jag gick upp på övervåningen ifall hon låg och sov, men sängen var bäddad. Ja, jag vet inte ens om hon sov där i natt. Jag vet ingenting... Hon var inte i arbetsrummet, eller nånstans...

Rösten bröts. Han skakade på huvudet. Sedan viskade han:

– Då kanske hon redan var död. Redan då.

Karin harklade sig. Hon betraktade honom uppmärksamt.

– Vad tror du har hänt henne?

– Jag vet inte.

– Har du nån aning om vad klockan var när du såg henne sista gången?

David såg villrådig ut. Han flackade med blicken.

– Nej... Jag minns inte... Det här med Heidi är så overkligt. Och nu är Anna också borta.

Han brast ut i gråt och gömde ansiktet i händerna. Karin väntade tills han lugnat ner sig.

– Vill du ha nåt att dricka? En Coca-Cola?

Han nickade.

– Får man röka?

– Egentligen inte. Men vi kan göra ett undantag.

Karin ringde på vakten och beställde läsken och en askkopp.

– Vi började gräla...

– Vad grälade ni om?

Han tittade upp på henne med förtvivlan i blicken.

– Det är viktigt att vi får veta alla detaljer, sa Karin mjukt.

I samma stund öppnades dörren och vakten kom in med Coca-Colan och askkoppen. David skakade fram en cigarett ur paketet han hade i fickan. Tände den med darrande fingrar och tog sedan några djupa klunkar ur burken. Sedan suckade han tungt, såg ut att ta sats innan han på nytt öppnade munnen.

– För några veckor sen upptäckte jag att Anna sålde telefonsex. Hon har gjort det hemifrån på nätterna medan jag har varit på jobbet.

Karin drog efter andan. Hon hade känt på sig att David dolde något.

– Hur länge har det pågått?

– Ingen aning.

– Vet du nåt om vilka kunder hon hade?

– En del. Hon har, eller hade, en pärm i sitt syrum.

Karin lyfte luren och beordrade en husrannsakan i familjen Forss hem.

– Vi fortsätter, sa hon sedan. Är det nån mer som känner till den här telefonsexförsäljningen? Har du pratat med nån om saken?

David Forss tvekade kort innan han svarade.

– Ja, jag har gått i stödsamtal hos kantorn i Öja kyrka, Miriam Kviberg. Hon vet om det.

– Okej. Karin gjorde en anteckning. Miriam Kviberg, sa du? Vad har du för relation till henne?

– Ingen alls egentligen. Jag kände bara att jag behövde prata med nån när jag hade upptäckt vad Anna höll på med. Och jag tyckte det var för pinsamt att ta upp det med en kompis.

– Jag förstår.

Hon tittade forskande på honom. Undrade om han insåg allvaret i att han hade minnesluckor från kvällen innan hans fru hittades ihjälslagen. Att han saknade alibi och att han skulle bli huvudmisstänkt tills polisen hittade en mer trolig gärningsman. Om det fanns någon.

– Och vad tror du kan ha hänt Heidi?

– Jag vet inte... Hur skulle jag kunna veta det?

– Du kanske har en teori?

– Nej, jag vet inte. Det är sant. Ni måste tro mig.

– Du måste själv förstå hur detta ser ut, fortsatte Karin. Först försvinner din dotter oförklarligt, sen hittas din fru mördad och du minns ingenting.

– Jag har inget med vare sig mordet eller Heidis försvinnande att göra. Jag älskar ju de båda mest i världen!

De avbröts av att det knackade på dörren. Vakten visade sig i dörröppningen.

– Ursäkta, men kan du komma ett ögonblick?

– Visst.

Hon reste sig och följde med ut.

– Vad är det fråga om?

– En spade har hittats utanför dörren hemma hos familjen Forss. Den var blodig. Det kan vara mordvapnet som användes för att döda Anna Forss.

ent på söndagskvällen anhölls David Forss av åklagare Birger Smittenberg som misstänkt för mordet på sin hustru Anna Forss. Det faktum att han saknade alibi, hade minnesluckor och att något som skulle kunna vara mordvapnet hittats hemma hos honom, och som dessutom visade sig bära hans fingeravtryck, räckte för att han skulle bli huvudmisstänkt.

Nere vid Lojsta träsk hade den tekniska undersökningen avbrutits på grund av mörker och regn. Det blev helt enkelt omöjligt att söka spår under de omständigheterna. Polisen hade dykt i sjön för att leta efter Heidi, om det var så illa att hon också dödats och dumpats där, men än så länge var dykningarna resultatlösa.

– Både fingeravtryck och DNA försvinner i vatten, suckade Erik Sohlman som kommit in till Karin för att berätta om läget. Väskan har läckt lite grann, det har kommit in en del vatten men inte så mycket, annars skulle den ha sjunkit till botten som en sten.

– Hur länge har den legat där?

– Inte länge, det rör sig om några timmar bara, max sex, skulle jag gissa. Innan det började regna hittade vi släpmärken vilket tyder på att gärningsmannen har dragit väskan från bagageluckan på en bil ner till vassen. Även om Anna Forss var liten till växten blir ju en död människa tung.

– Och bilspår?

– Vi hann se en del och ta bilder innan regnet kom. Vi ska undersöka saken, det rör sig om en personbil i alla fall.

Sohlman drog handen genom håret. Han såg trött ut.

– Otäckt mord, måste jag säga. Offret har avvärjningsskador på armar och överkropp, mordet har tveklöst föregåtts av en kamp. Hon har misshandlats rejält innan hon dog.

– Vad var själva dödsorsaken?

– Antagligen nåt av alla de slag hon har fått i huvudet. Det kan väl rättsläkaren svara närmare på.

Karin gäspade. Huvudet värkte och trots att hon kämpade för att mota bort tröttheten kom den över henne. Det var definitivt dags att avsluta denna händelserika dag.

– Man undrar bara var Heidi Forss befinner sig.

Hon stirrade tomt framför sig. Hoppet om att den fyraåriga flickan skulle befinna sig i livet hade minskat drastiskt.

När Karin kom in till spaningsledningens mötes-rum på måndagsmorgonen satt gruppen redan där. Martin Kihlgård från Rikskriminalen vände sig om mot henne och log när hon öppnade dörren, Sohlman bläddrade i dagens tidning och pratade samtidigt i låg samtalston med åklagare Birger Smittenberg. Wittberg satt och knackade lätt med en penna i bords-skivan. De väntade uppenbarligen på henne.

– De flesta av er vet kanske att David Forss har anhållits i natt som misstänkt för mordet på sin fru, Anna Forss, började hon.

Hon tittade runt bordet. Kihlgård reste sig, lutade sig över bordet och sträckte sig efter en av kanelbullarna som låg i en korg. Han höjde på ögonbrynen. Han hade tydligen inte hört det. Han bet i bullen samtidigt som han serverade sig en kopp kaffe.

– Vi hittade en blodig spade som kan knytas till David Forss. Men det kan Sohlman berätta mer om.

Hon gav tecken till kriminalteknikern att ta vid.

– Det uppstår en del frågetecken kring att spaden hittades utanför familjen Forss dörr, började Sohlman. Det finns inga tecken på strid, vare sig inne i huset eller på tomten. Vi har inte hittat en enda blodfläck eller nåt annat som pekar på att mordet skulle ha begåtts där. Slår man ihjäl nån med en spade så blir det alltid stänk på brottsplatsen.

– Vad betyder det? frågade Wittberg. Att vi fortfarande letar efter gärningsmannen?

– Det vet vi inte, fortsatte Sohlman. Vi får förhålla oss till de spår vi har, men vi kan inte utesluta att det finns en annan gärningsman.

– Eller att han har haft en medbrottsling, avbröt Karin.

Sohlman gav henne en skarp blick, han avskydde att bli avbruten.

– Det kan vi naturligtvis inte heller bortse ifrån, grymtade kriminalteknikern. Fråga mig om min personliga uppfattning...

Ingen runt bordet sa något.

– Och det är det uppenbarligen ingen som gör. Men jag tror att spaden blev placerad utanför David Forss dörr, i efterhand. Några frågor?

Wittberg knackade med pennan några gånger i bordet innan han lyfte blicken.

– Varför tror du det? Vi vet att hans fingeravtryck finns på spaden och att allt tyder på att den är mordvapnet, även om blodanalysen från SKL lär dröja ett tag. Men av skadorna att döma… David Forss har motiv, han har problem att tygla sitt temperament, han har minnesluckor och saknar alibi.

– Men varför skulle David mörda Anna på ett ställe och sen ta med sig mordvapnet hem och ställa spaden helt synlig utanför entrén? invände Karin.

Wittberg ryckte på axlarna.

– Jag håller med om att du har en poäng där, sa han och knackade återigen med pennan i bordet. Men hans fingeravtryck, hur förklarar han dem?

– David Forss drack hela lördagsnatten tills han däckade i soffan och minns inte hur kvällen slutade, sa Karin.

– Vet vi det? avbröt Wittberg.

– Ja, vi har tagit blodprov. Han hade en hög promillehalt. När han vaknade vid ettiden i går eftermiddag var inte Anna hemma. Inte heller hennes väska, telefon eller bilen. När han insåg att Anna inte var i huset gick han ut på farstukvisten och upptäckte en spade som han inte kände igen. Han gjorde väl nåt som är ganska naturligt – tog tag i den och tittade på den. Sen ställde han den ifrån sig. Han påstår att han inte såg blodfläckarna på bladet. Det finns också flera avtryck på spaden, från personer vi inte vet vilka de är. Än så länge.

– En sak till, sa Karin. Nu på morgonen har vi fått in vittnesuppgifter från Öja kyrka att Anna Forss var där och besökte gudstjänsten på söndagen.

– När börjar den? frågade Sohlman. Elva? Och håller

254

på i en timme? Hon levde alltså klockan tolv.

– Hon har också setts kliva in i sin bil och lämna kyrkan strax efter tolv, tillade Karin. Och bilen är fortfarande borta.

– Var Anna ensam? frågade Wittberg.

– Ja, vittnet såg i alla fall inte att hon hade sällskap. Men vi vet självklart inte om hon plockade upp nån på vägen eller om hon mötte nån efter att hon körde från kyrkan.

– Det betyder att hon råkade på sin mördare efter det, sa Sohlman eftertänksamt och strök sig över skäggstubben. Hon kan naturligtvis ha åkt hem, David Forss kan ha mördat henne, men vi har fortfarande en utmaning, ett par stycken faktiskt. Varför tog han med sig mordvapnet och var är bilen?

– Bilen söker vi naturligtvis, sa Kilgård. Men än så länge har vi inte hittat den. Vi har sökt i närheten av hemmet och utvidgar nu sökandet. Det är en blå Saab av 2003 års modell, standardtyp.

Wittberg drog en djup suck. Slog extra hårt i bordsskivan med pennan och skakade uppgivet på huvudet. Karin vände sig mot åklagaren.

– Jag vet inte vad du säger Birger, om vi kan hålla kvar David Forss?

– Tveksamt i det här läget, sa Smittenberg. Misstankarna mot honom känns ganska tunna.

– En annan sak. Vi måste omedelbart gå igenom Anna Forss telefonkunder, det är inte omöjligt att vi hittar hennes mördare bland dem. Annars är det väskan som är vårt intressantaste spår just nu, sa Karin. Sohlman, du kan väl visa bilderna?

– Visst.

Kriminalteknikern reste sig och drog ner den vita skärmen längst fram. Släckte ljuset och slog på datorn. Klickade fram bilder på fyndplatsen, den leriga vägen ner mot vattnet, den gistna bryggan, vassen, väskan och kvinnokroppen inuti väskan.

– Hon är påklädd som ni ser, började Sohlman. Hon har fått ta emot ett stort antal slag mot kroppen och ansiktet. Väskan låg i vassen, en del vatten hade sipprat in så den var på väg att sjunka. Det var rena turen att den hittades i dag, annars vet man aldrig hur länge den hade blivit liggande.

– Ja, den där platsen är rätt ödslig och det är nog ganska ovanligt att folk passerar där, åtminstone så här års, inflikade Lars Norrby. Jag känner till området ganska bra och jag vet att den där bryggan inte har använts på åratal. Inga båtar ligger förtöjda där längre och sjöbotten är sunkig och dyig så det är inte direkt badvänligt.

– Okej, sa Sohlman. Här är bilder från bårhuset där ni kan se Anna Forss skador bättre. Kroppen är på väg till Stockholm med färjan i detta nu.

– Jag har pratat med Rättsmedicinska och de har lovat att skynda på, sa Karin. Jag hoppas på att en undersökning påbörjas redan i dag.

– Bra, sa Sohlman. Här ser ni i alla fall skadorna bättre, upprepade han.

256

Bilder på Anna Forss späda vita kropp klickades fram. Flera närbilder visade skärskador, blåmärken och det krossade kraniet. Karin tyckte det var obehagligt, inte först och främst på grund av bilderna, hon hade sett liknande många gånger förr. Det var en del av jobbet. Det var för att det var Anna. Bara några dagar tidigare hade hon hållit om henne, tröstat henne, känt av hennes oro. Hon hade försökt distansera sig men Anna hade gjort ett starkt intryck på henne. Hon klarade knappt av att se bilderna utan att se människan Anna Forss.

Stämningen i rummet blev tung.

– Hur säkra är vi på dödsorsaken? frågade Norrby.

– Jag vill inte spekulera egentligen, men jag tror, som sagt, att döden har orsakats av ett av de slag hon fick mot huvudet, sa Sohlman. Det har varit en ordentlig kraft i dem, skallen är i princip spräckt.

– Så hon var död när hon lades i väskan? frågade Wittberg.

– Det utgår jag från, svarade Sohlman. Jag tror inte att fyndplatsen är densamma som brottsplatsen. Det borde som sagt ha blivit en massa blodstänk under misshandeln, men på fyndplatsen har vi bara funnit enstaka droppfläckar som antingen kommer från gärningsmannen eller så har de droppat ut från väskan.

Karin gjorde en grimas. Sohlman övergick till att klicka fram bilder på väskan. Det var en stadig brun koffert av gammaldags modell. Den kunde lätt rymma en mindre människa.

– Det här är en ovanlig modell, sa Sohlman, och den ser ut att ha många år på nacken. Den saknar tyvärr etiketter med namn eller annat som kan identifiera ägaren. Däremot har den några speciella kännetecken. Smala läderremmar runt om, lädret är oxblodsfärgat, lite räfflat på ett speciellt sätt. Mässingslåsen är rikt utsmyckade och ovanför låset på ena sidan sitter en liten trekantig platta i mässing. Se här. På den lilla skylten står: *Garantiert solide Handarbeit*. Väskan är alltså av tyskt märke och har några bokstäver målade på ena sidan: D E S L – jag vet inte om DE står för Deutschland, kanske. Den är i alla fall så pass speciell att om vi visar bilder på den så kanske nån känner igen den.

– Vi får väl gå ut med en bild i lokaltidningarna, föreslog Norrby.

– Absolut, höll Karin med. Och hoppas på det bästa.

Cellen var smal och hade ett litet gallerförsett fönster. Han låg på den hårda britsen och stirrade upp i taket. Försökte fokusera på en punkt som bara han kunde se, försökte att hålla ögonen öppna, aldrig stänga dem. Kände att det sved, tårarna började rinna. Han blundade, det blev svart igen. Öppnade dem, fortsatte att stirra på en punkt ovanför honom. Anna var död, hade de berättat. Sagt det till honom, som om det inte vore något särskilt, som om det skedde varje dag, att folk bara dog. Att de bara var borta, så där helt utan vidare. Anna var död, mördad, och de trodde att han hade gjort det. Det var därför de hade låst in honom.

Han borde ha varit ute och letat efter Heidi, hittat henne, lyft upp henne, snurrat henne runt, runt medan hon tjöt av skratt. Han skulle lyfta henne högt upp i luften, upp på axlarna och de skulle springa hem. Hon och han, hon på hans axlar, hem skulle de springa och de skulle öppna dörren till huset och hon skulle ropa: Mamma! Och Anna skulle komma rusande nerför trappan, kasta sig runt dem, slå armarna om dem, och han skulle säga att allt gick bra. För det gjorde det.

Men nu var Anna död och Heidi fortfarande borta och polisen trodde att det var han som hade mördat Anna, hon som var hans allt, och ingen hade räddat Heidi och hans ögon blev röda och han hittade inte punkten i taket som han behövde, som han hade sett bara ett ögonblick tidigare.

Han blundade igen och allt blev svart, svart och ensamt.

Han såg Anna framför sig då de gifte sig, hennes enkla vita klänning, hennes ögon, hur hon hade sett på honom. Hur hon kunde få honom bensvag bara hon log mot honom.

Varför i helvete sålde hon sex per telefon? Nu låg han där, hela hans liv var ödelagt, raserat, han hade förlorat allt och polisen ansåg att det hela var hans fel. Hur i helvete kunde hon göra så här mot honom?

Han reste sig från britsen och gick bort till dörren.

– Jag behöver få prata med nån, sa han lågt.

Det var så allt hade börjat, hon fick män till att stöna i telefonen och han behövde någon att prata med.

– Jag behöver nån att prata med, sa han lite högre. Jag behöver nån!

Nu ropade han.

Han hörde fotsteg utanför dörren. Han bankade i dörren, han kände att det gjorde ont. Men inte tillräckligt ont, han slog en gång till, hårdare, medan han skrek:

– Jag behöver nån att prata med!

Nu var det inte ett skrik längre, nu var det desperation. Han bankade igen, kände ingenting, han skrek samma ord, om och om igen, slog ännu hårdare, kände fortfarande ingenting. Slog igen, dörren var röd av blod. Handen var täckt av en mörk, klibbig vätska. Han slog, skrek, ingen öppnade. Han slog igen, hörde ett ljud, han stelnade till, tittade på sin hand. Allt stannade plötsligt upp. Var det ljudet av dörren som öppnades eller var det hans hand?

Han blev stående stilla, orörlig.

– Jag älskar henne, sa han lugnt och kände hur tårar vätte hans ansikte. Han kunde inte sluta. Han stod där och darrade med den blodiga handen framför sig.

– Jag älskar henne, snyftade han. Jag älskar henne.

Karin hade varit angelägen om att snabbt få tala med kantorn som hade haft stödsamtal med David Forss. Hon hette Miriam Kviberg och arbetade i flera kyrkor på södra Gotland, mest i den största av dem, Öja kyrka, och det var där församlingshemmet låg där de två brukade träffas.

Karin tog själv emot henne i polishusets reception och de gick in i ett av förhörsrummen. Kihlgård fanns närvarande som förhörsvittne. Hoppas bara han kan hålla mun nu, tänkte Karin om sin snacksalige kollega. Förhörsvittnets funktion var att bara sitta med och vara tyst för att sedan kunna dryfta förhöret med förhörsledaren.

Kantorn hade hon aldrig träffat förut. Det var en bastant kvinna som såg sträng ut samtidigt som hon gav ett ganska kyligt intryck, hon verkade svår att komma in på livet. Ingen människa jag direkt hade valt att gå på stödsamtal hos, tänkte Karin och såg Davids bräckliga gestalt framför sig.

Hon visste att kyrkoherden i Öja var en varm, inkännande person, karismatisk, utåtriktad och mycket populär. Varför hade David inte valt att prata med honom istället för med den här avmätta kvinnan? tänkte hon.

De slog sig ner och hon hällde upp ett glas vatten till kantorn. Miriam Kviberg rörde inte en min, utan satt med händerna stillsamt knäppta i knäet och avvaktade. Det här lär bli en utmaning, tänkte Karin. Hon talade in de vanliga inledningsfraserna och tittade sedan uppmärksamt på kantorn.

– Jag förstår att du inte vill svika Davids förtroende och berätta vad ni pratade om, men nu handlar det om misstanke om mord. Vid ett så allvarligt brott kan du tala med polisen, eller hur?

– Självfallet.

– Hur kommer det sig att du började ta emot David Forss för stödsamtal? Det tillhör väl inte en kantors vanliga uppgifter?

Kantorn såg på henne utan att avslöja med en min vad hon tänkte. Karin lade märke till att hon skelade lite grann.

– Förvisso inte. Men David kom till mig och ville uttryckligen tala med just mig. Jag kunde inte neka honom. Och det skedde med kyrkoherdens goda minne.

Hon hade en djup stämma och talade långsamt, liksom med eftertryck bakom varje ord. Ögonen var ljusa, lite vattniga. Karin tyckte det var svårt att möta hennes blick, det kändes som om hon inte fick kontakt.

– Jag förstår. Vad ville han prata om?

– Han var orolig eftersom hans fru ägnade sig åt...

Ett kort fladder i ögonen visade att Miriam Kviberg inte var helt bekväm med det hon stod i begrepp att säga.

– Ja, det var alltså telefonsex. Hans fru sålde sex per telefon om nätterna.

– Det känner vi till.

– Jaha? På så vis?

Kantorn såg lättad ut. Hon fortsatte:

– Han tordes först inte prata om saken med Anna men jag uppmuntrade honom, så till sist gjorde han det.

– Och vad hände då?

– Jag uppfattade det som att de grälade mycket om det, men utan att komma nån vart.

– Fanns det andra bekymmer i äktenskapet?

– Jag tror att David kan ha vissa problem med spriten.

– Jaså, varför då?

– Flera gånger när han kom till våra samtal luktade han sprit. Han har också sagt själv att han dricker för mycket.

– Hur uppfattar du honom i övrigt?

– Som en människa på bristningsgränsen, en människa som har tappat kontrollen. Faktum är att vi bara hade tre samtal, sen sa jag till honom att jag inte hade kompetens att hjälpa honom mer. Jag hänvisade honom

till en familjerådgivare på kommunen som skulle kun-
na hjälpa honom vidare.

– Hur reagerade han på det?

– Han blev väldigt upprörd. Rentav rasande.

De två hetaste spåren i jakten på Anna Forss mördare var dels kunderna som hade köpt telefonsex och dels den koffert hennes kropp hittats i. Polisen hade gjort husrannsakan i bostaden och beslagtagit allt material, datorn, pärmen och mobiltelefonen som David hittat, den telefon som Anna använt för kunderna.

Bilder på väskan som Anna Forss kropp hittades i visades upp i medierna.

På eftermiddagen knackade Kihlgård på Karins dörr.

– Kom in.

Hennes storvuxne kollega såg entusiastisk ut. Ögonen var ännu rundare än vanligt och han andades häftigt efter sin snabba promenad genom korridoren.

– Jag har hittat nåt intressant här som kan vara värt att gå vidare på, flämtade han.

– Jaha? Slå dig ner och låt höra, för Guds skull. Vad

266

som helst som kan göra mig på bättre humör. Den här lilla tjejen Heidi snurrar runt i mina tankar hela tiden, jag håller på att bli galen. Jag är livrädd för att vi ska hitta henne död nånstans.

Karin gjorde en gest att han skulle sätta sig ner.

– Jo, så här är det, sa Kihlgård. En person som bor i Hemse har hört av sig, han heter Bengt Andersson och hans föräldrar drev en väskaffär på Storgatan i Hemse. Den lades ner för många år sen, efter pappans död. När sonen Bengt fick se väskan på nätet visade han den för sin mamma. Hon kände igen den som en ovanlig och exklusiv väska de sålde i affären nån gång på femtiotalet.

– Otroligt, utbrast Karin. Hur kunde hon komma ihåg det?

– Just för de ovanliga detaljerna som gör den unik, framför allt mässingsplattan med den där texten ovanför låset. Väskan är mycket riktigt av tyskt märke och de tog bara in några stycken.

– Okej, men vad har det för betydelse förutom att vi vet att den såldes i Hemse?

Kihlgård såg finurlig ut.

– Nu är det så, förstår du, att den här mannen som drev affären, Alvar Andersson, var en mycket speciell person. Han samlade nämligen på allt. Sonen berättar att han sparade på kvitton, redovisningar, fakturor – allt som hade med affären att göra. Vissa exklusiva varor hade garantier och där har kunden skrivit på med sitt namn. Och vet du vad?

– Nej.

Karin tittade nyfiket på honom.

– Det fina i kråksången är att arkivet finns kvar uppe på Bengt Anderssons vind. Det är bara att börja leta.

En stege ledde upp till den dammiga och mörka vinden som var ovanligt rymlig. Bengt Andersson visade vägen och klättrade före. Han var en liten och senig man och tog sig smidigt upp och in genom vindsluckan. För Kihlgård var det inte lika enkelt. Han stånkade och frustade som en flodhäst och när han skulle in genom den trånga luckan var Karin rädd att han skulle fastna. Men till slut var han igenom och landade med en duns på det knarriga vindsgolvet.

Bengt Andersson knäppte på lyset. Karin såg sig fascinerat om. Vinden hade ståhöjd och längs väggarna löpte hyllmetrar med prydligt iordninggjorda lådor som stod på rad, tydligt markerade med innehåll i bokstavsordning. När hon tittade närmare upptäckte hon att de även var arkiverade efter årtal. Allt handlade om Alvars Skinn, affären som sålt väskor, handskar och skärp och som legat mitt på Storgatan i Hemse. Affären hade funnits i familjens ägo sedan början av femtiotalet, men upphört fyrtio år senare när Alvar hade gått bort. Ingen av de bägge sönerna var intresserade av att ta över, och Alvars hustru kände sig för gammal för att orka med att driva affären ensam.

– Ja, så här ser det ut, sa Bengt. Här har ni allt ni kan önska. Ni får botanisera fritt.

– Imponerande, sa Kihlgård och kippade efter andan efter sin strapatsrika klättring. Han lät blicken glida utefter de prydligt ordnade hyllraderna. Din pappa tycks verkligen ha sparat på allt.

– Jag vet, sa Bengt och log. Han var en riktigt inbiten samlare. Många gånger har jag tänkt att vi ska rensa ut allt det här, men det har inte blivit av för vi behöver inte direkt utrymmet, vi har så mycket plats ändå. Och tur är väl det, med tanke på den situation som har uppstått nu.

– Verkligen, höll Karin med. Vi är så tacksamma.

Det kliade i fingrarna på henne att få sätta igång.

– Om jag vore ni så skulle jag börja här borta, sa Bengt Andersson och flyttade sig till den mittersta hyllsektionen. Det här är femtiotalet och mamma tror att det var då väskan såldes. Jag kan visa er hur han har lagt upp det.

Han drog ut en pärm, blåste av dammet och öppnade den vilket orsakade ännu ett dammoln. Både Karin och Kihlgård hostade till. Det märktes att ingen kollat i de gamla pärmarna på många, många år.

– Den här pärmen är från 1950. Här ser ni flikar för kostnader, intäkter, varulager, garantier, försäkringar, annonser och så vidare. Om vi slår upp här på annonser till exempel. Ser ni, han klippte till och med ur affärens annonser i tidningen, klistrade in och sparade.

Det märktes tydligt att sonen var både fascinerad av och förtjust i sin fars arkiv.

– Titta här, sa han med stolthet i rösten och pekade på en annons med en kvinna i kappa med skärp runt den smala midjan och handväska. Det här är typiskt pappa. Spara på sånt här. Har ni tur kan ni hitta väskan och vilka som köpt den.

– Okej att vi kan hitta väskan och vilket år han tog in den, sa Karin med skepsis i rösten. Men hur i hela friden ska vi kunna hitta kunderna som köpt de här väskorna?

– Jo, det ska jag tala om för dig, sa Bengt finurligt. Han petade upp en ny flik i pärmen han fortfarande höll i med rubriken *Garantier*. Här har pappa sparat kvitton från varor som var försedda med särskild försäkring eller garanti. Alltså mer exklusiva varor. Och jag misstänker att den här resväskan var av en dyrare modell. Så har ni tur kan ni hitta nåt sånt här.

Han höll fram ett kassakvitto med kopia på en garantisedel. Där fanns kundens underskrift längst ner. Karins hjärta slog snabbare. Hon och Kihlgård växlade blickar. Tänk om. Här fanns i alla fall en chans.

271

Thomas Wittberg och Erik Sohlman satt tillsammans på kriminalavdelningen. Sohlman bläddrade i pärmen där de olika kvinnorna och de tjänster de kunde erbjuda presenterades.

– Herregud, suckade han. Vilka typer, allt ifrån en gammal strippa till en oskuldsfull artonåring. Hon har växlat friskt från den ena till den andra.

– Det är för tragiskt, sa Wittberg. Vad är det för män som inte kan träffa kvinnor på vanligt sätt? De måste vara så ensamma.

– Fast flera är ju faktiskt gifta enligt kundbeskrivningen, invände Sohlman.

– I ett äktenskap kan man väl också vara ensam, konstaterade Wittberg torrt.

– Vet vi överhuvudtaget varför Anna Forss ägnade sig åt att sälja telefonsex? frågade Sohlman. Handlade det om ekonomi eller var det för att få sexuell bekräftelse?

– Det verkar ha varit ekonomi, sa Wittberg. De hade det rätt knackigt och svårt att betala bolånen. De köpte huset för ett år sen och de kanske inte förstod riktigt vad de gav sig in på. De fick det knappt att gå runt så Anna började sälja telefonsex för att få ihop pengar så att de inte skulle behöva sälja huset. Hon ville inte belasta David med det. En väninna som vi har förhört berättade alltihop.

– Tragiskt, så tragiskt, muttrade Sohlman och dök återigen ner i materialet.

När de gått igenom allt hade de fått en någorlunda klar bild över verksamheten. Enligt det företag som Anna Forss varit knuten till hade hon sålt telefonsex i över ett år och tillhörde de mest populära i stallet. De berättade också att vissa kunder kunde bli hotfulla. Så riskfritt var jobbet inte. Wittberg och Sohlman satt med en lång lista över kunder. Kanske var det där de skulle finna Anna Forss mördare.

Karin och Kihlgård arbetade systematiskt och i tysthet. Pärm efter pärm gicks igenom. Det var ett tidsödande arbete och då och då fick de resa sig från de klaffstolar Bengt Andersson burit fram för att sträcka på benen. Nu var det Kihlgårds tur.

– Fy hundan, sa han och gäspade. Det här var inte kul. Och hungrig börjar jag bli.

– Visst, men nu går vi igenom materialet tills vi blir klara, sa Karin. Hon rafsade fram en chokladbit ur fickan. Catch!

Kihlgård viftade fumligt med händerna i luften men missade chokladbiten som for förbi och hamnade på golvet. Han böjde sig stånkande ner. Ingen direkt smidig karl, det där, tänkte Karin och drog på munnen. Kihlgård vägde säkert långt över hundra kilo. Han var rejält kraftig, men hon upplevde honom ändå inte som direkt överviktig. En man med pondus skulle man kunna säga. Om man var snäll, tänkte hon. Nu mumsade han glatt i sig chokladen.

– Jag är på 1954, sa hon. Var är du?

– 1955. Snart klar, då har vi gjort hälften, sa Kihlgård mellan tuggorna. Hoppas nu tanten minns rätt så det var på femtiotalet som väskan såldes.

– Ja, verkligen, muttrade Karin och fortsatte bläddra. Det dröjde inte länge förrän hon ropade till.

Kihlgård svalde den sista biten och böjde sig framåt mot henne.

– Vad är det?

– Titta.

Karin pekade på en bild på en stor, fyrkantig koffert. Den var i oxblodsfärgat läder och såg exakt likadan ut som den som Anna Forss kropp hittats i. *Koffer Meister* stod det som överskrift.

– Det är ingen tvekan om att det är den väskan, sa Karin ivrigt. Eller hur? Ser du inte det?

– Jo, det är den, helt säkert.

Karin bläddrade vidare till kvittona. Där satt en hel hög. Kihlgård väntade spänt medan hon letade. Det dröjde inte länge förrän hon hittat tre kvitton med tillhörande kopia av garantisedeln. Samtliga gällde försäljning av väskan Koffer Meister. Hon lutade sig framåt för att kunna läsa kundens underskrift. Kihlgård flåsade henne i nacken. Den första var i svart bläck och ganska svårläslig.

– Vad står det? sa Karin frågande. Hed nånting… Hedström?

– Ja, sa Kihlgård ivrigt, Axel Hedström, ser du inte det?

– Jo, nu ser jag. Karins hjärta bultade hårt. Och nästa då? Margareta Smittenberg.

– Oj då, kan det vara en släkting till Birger?

– Inte omöjligt, mumlade Karin. Men Smittenberg är ett ganska vanligt namn på Gotland.

Hon var redan i full färd med att försöka tyda det tredje namnet.

– Vad står det?

– Gustaf K… nånting.

– Gustaf Kviberg. Kan det stämma?

– Ja, nu ser jag, sa Karin. Gustaf Kviberg står det.

– Kviberg, sa Kihlgård dröjande. Jag tycker jag känner igen det. Kviberg.

Karin vände sig om mot honom.

– Miriam Kviberg, sa hon. Det är ju kantorn som har suttit i samtal med David Forss.

– Å herre, min skapare, utbrast Kihlgård.

Efter söndagsgudstjänsten hade hon helt oväntat träffat på Anna Forss i kyrkan. Hon hade omedelbart känt igen Heidis mamma. Hade tappat sina notblad i golvet. Skyndat sig ut genom kyrkporten. Men Anna hade följt efter.

När Miriam klev ur bilen hemma hade hon varit alldeles bakom och parkerat bredvid. Hon sa att hon hade sett henne vid nöjesfältet på Hemse marknad strax innan Heidi försvann. Att hon på hennes reaktion i kyrkan förstått att något inte stämde och blivit så pass misstänksam att hon körde efter henne. Hon krävde att få följa med in. Pekade med ett darrande finger på sin dotters jacka som hängde över en dockbarnvagn ute på gården och blev hysterisk. Hon började ropa på Heidi och sprang mot boningshuset.

I panik hade Miriam gripit tag i en spade som stod lutad mot ladans vägg. Deras blickar hade mötts samtidigt som hon lyfte spaden och under ett ögonblick greps hon av medkänsla, tyckte synd om den lilla kvinnan framför sig. Miriam kände en förtvivlan över det hon var tvungen att göra. Anna skrek då spaden träffade henne rätt över örat. Hon tog sig mot huvudet medan blodet rann från tinningen.

Anna sträckte ut handen för att värja sig, beskydda sig, men hon insåg inte att det var för sent. Hon skulle aldrig ha följt efter kantorn hit.

Miriam lyfte spaden igen och igen tills Anna låg orörlig i en egendomligt vriden, onaturlig ställning på marken. Marken var fläckad av hennes blod. Hennes ögon stirrade öppna mot himlen. Miriam böjde sig ner och slöt dem försiktigt. Hennes händer darrade.

I ladan låg hennes föräldrars gamla koffert som de köpt till sin bröllopsresa. Hon hade pressat ner den döda kvinnan i väskan och kört till den plats där hon brukade bada på somrarna. Ett ensligt ställe vid Lojsta träsk. Där fick hon alltid vara ifred. Hon var förutseende nog att ta Annas bil, inte sin egen. I träsket dumpade hon väskan. Och spaden lämnade hon utanför Davids dörr. Det var inte mer än rätt. När hon kom hem körde hon in Annas bil i ladan. Där fick den stå tills vidare. Noggrant hade hon spolat av marken med trädgårdsslangen och sedan gått in till den väntande Heidi.

Karin larmade omedelbart kollegerna i Visby. Hon fick bekräftat att Miriam Kvibergs pappa hette Gustaf och att han avlidit i hemmet ett knappt år tidigare, samtidigt som sin hustru. Han hade arbetat som kyrkoherde på södra Gotland under hela sitt yrkesverksamma liv. Miriam var enda dottern och hon hade aldrig lämnat barndomshemmet.

Det var Karin och Martin Kihlgård som befann sig närmast Miriam Kvibergs hem, nästan ända nere vid Hoburgen, Gotlands sydspets. Väskhandlarens son, Bengt Andersson, hade förbluffat tittat på när de bägge poliserna kom störtande nerför vindstrappan. I all hast lämnade de huset och ropade efter sig att de skulle ringa så fort det blev tid och ge en förklaring till sitt brådstörtade avsked.

De hoppade in i bilen och gav sig iväg med en rivstart. Kihlgård fick en vägbeskrivning per telefon och de körde i ilfart söderut.

– Herregud, att det var hon, sa Karin sammanbitet och rattade bilen med blicken fastnaglad på vägen. Vi förhörde henne ju så sent som i förmiddags.

– Men att kantorn skulle vara en kallblodig mördare hade man aldrig kunnat tro, sa Kihlgård och skakade på huvudet.

De körde söderut, förbi samhället Burgsvik och vidare ner mot Hoburgen, men innan de kom så långt svängde de in på en mindre väg och hamnade utanför det som de gissade var Miriam Kvibergs hus. En ensam fastighet utefter vägen med en hög stenmur som omgärdade tomten. Ingen bil stod på den lilla parkeringsplatsen utanför muren. Karin slog av motorn och gav Kihlgård en frågande blick.

– Vad gör vi? Väntar in de andra?

– Aldrig i livet.

Miriam visste att hon hade rätt. Ändå skakade hon i hela kroppen. Hon visste vad hon måste göra, vart hon behövde gå. Hon måste dit. Hon hade räddat Heidi. Nu ville hon bara få sinnesfrid, komma undan och tänka.

Kattungarna underhöll Heidi långa stunder. Flickan hade varit ledsen i början, hon hade frågat efter mamma och pappa, men Miriam hade förklarat att mamma blivit sjuk och måste ligga på lasarettet och pappa måste vara där och ta hand om henne. Barn fick inte vara på sjukhuset, så hon hade lovat att ta hand om Heidi tills mamma blev frisk igen. Heidi fick all glass hon ville ha, den godaste maten, godis och läsk och hon fick titta på film och gosa med kattungarna hur mycket hon ville. När Miriam måste till kyrkan ett par timmar så hade hon bara försett Heidi med en film och så mycket gott hon kunde äta och så hade hon stängt in henne med kattungarna. Fönstren var numera försedda med lås och ytterdörren låste hon, så det fanns ingen risk att flickan skulle ta sig ut. I början blandade hon ner en gnutta lättare sömnmedel i läsken så att hon sov, men Heidi blev lugnare för varje dag och fann sig mer och mer i situationen. Till sist skulle hon nog till och med komma att älska henne. Inse vem som verkligen brydde sig om henne. Miriam längtade till den dagen. Om kvällen när Heidi somnat brukade hon smyga sig in till flickans rum, sätta sig på sängkanten, betrakta det lilla väna ansiktet och stryka henne försiktigt över kinden. Nu hade hon någon och det var bara en tids- fråga innan Heidi skulle se på henne som sin mamma. Allt skulle bli bra, det var hon helt säker på.

Men innan dess var det något hon måste göra. Ef- tersom hon själv kände sig upprörd måste hon ge Heidi något lugnande också, flickan kände av hennes sinnes- stämning och blev orolig. När de åt lade hon lite sömn- medel i flickans mjölk och snart skulle hon somna gott. Innan hon gick placerade hon Heidi i soffan framför en film. Hon strök henne ömt över håret.

– Jag kommer snart, viskade hon och kastade en sista blick på den lilla flickan innan hon gick ut och stängde dörren efter sig.

Karin och Kihlgård klev ur bilen. Vägen låg tom och rak. Inga andra hus fanns i närheten. Stenmuren som omgärdade huset var ovanligt hög. De öppnade grinden och klev in på tomten. Den sluttade svagt neråt ett skogsparti, bortom det hördes havets brus. Längs ena kanten en gammaldags lada i kalksten med grästak. Åt andra hållet boningshuset, även det i vit kalksten. Trädgårdsmöbler stod ute. Det klack till i Karin när hon såg vad som låg i gräset. Hon puffade Kihlgård i sidan.

– Titta.

En gul hink och en spade. Det enda tecknet på att det fanns barn i närheten. Karin kikade in genom ladans fönster. Kihlgård kunde höra hur hon drog efter andan.

– Kom hit Martin, skynda dig.

Hon slet upp den gamla ladugårdsdörren och rusade in. Kihlgård var inte långt efter. I ladan låg en massa bråte, och i ena hörnet stod en bil parkerad.

– Ser du vilken bil det är? frågade Karin upphetsat.

– En blå Saab... det är familjen Forss bil!

Vid första anblicken syntes inget anmärkningsvärt. Sedan öppnade Kihlgård bagageutrymmet. Där fanns tydliga blodfläckar.

De bägge poliserna såg på varandra. De sprang mot huset med dragna pistoler. Persiennerna på bottenvåningen var nerfällda, det var omöjligt att se in. De klev upp på den slitna farstukvisten och knackade på. Väntade en stund, bultade högre. Ingen reaktion. Ringklocka saknades.

– Det verkar inte vara nån hemma, sa Karin lågt. Det står ju ingen bil här heller.

Hon prövade att trycka ner handtaget. Dörren var låst. De hörde en katt jama där inne.

Kihlgård tog ett par steg åt sidan.

– Det är kanske bäst att du passar dig lite, sa han till Karin.

Hon såg tvivlande på honom.

– Är du seriös? frågade hon. Har du tänkt sparka in dörren?

Kihlgård var inte direkt i vad man kunde kalla god form.

Han tog av sig jackan och gav den till Karin.

– Självklart, sa han. Har du ett bättre förslag?

– Borde vi inte kolla om det finns ett enklare sätt att ta sig in? Tänk på ditt hjärta.

– Det var inte ett bättre förslag, men tack för omtanken, sa Kihlgård innan han sparkade in dörren.

De kom in i en mörk hall. Åt ena sidan låg köket. Karin kastade en hastig blick in, men det var tomt. Bredvid trappan upp till övervåningen fanns en stängd dörr som även den visade sig vara låst. De hörde ljusa jamanden från flera småkatter från andra sidan. Ljud från en teve som stod på. Det lät som en barnfilm. Karins hjärta bultade hårt.

Kihlgård fick upp dörren och katten slank in. De bägge poliserna stannade upp i dörröppningen. På teven en tecknad film, kattungar på golvet, i soffan bland täcken och kuddar låg en liten flicka och sov. De kände ögonblickligen igen Heidi Forss.

Öja kyrka var tyst och tom. Stenväggarna runt henne, tjocka och nästan tusen år gamla. Miriam strök med ena handen utefter väggen. Hon behövde komma hit, få lugn och ro.

Samla tankarna. Hon tog plats i en av kyrkbänkarna. Så ovanligt att befinna sig här, hon fick helt nya perspektiv. Hon satt ju alltid vid orgeln annars.

Hon tittade ut genom ett av de höga kyrkfönstren. Kyliga vindar hade dragit in från nordost, tjocka, gråsvarta moln rörde sig oroligt på himlen och löven föll från träden. Snart skulle mörkret lägga sig för vintern. Landskapet var i förändring, precis som hon själv. Vem hade kunnat ana allt som skulle hända efter föräldrarnas död?

Livet hade förändrats den där morgonen då hon träffat på Vilma Eliasson på Södra Murgatan. Flickan hade lämnats ensam och suttit och lekt i gräset när hon kommit för att hämta sin bil som stod på parkeringsplatsen bredvid Kajsartornet. Hon hade satt sig på huk framför Vilma och försökt prata med henne, men flickan sa ingenting. Ingen vuxen syntes till, hon hade tyckt att det var konstigt att ett så litet barn satt där alldeles ensam. Miriam försökte lyfta upp henne, men då hade hon fått någon sorts attack, kroppen ryckte, ögonen rullade och hon tuggade fradga. Hon greps av panik och blev rädd att barnet höll på att dö. Lyfte in henne i bilen för att köra till lasarettet.

Men efter ett par minuter var flickan lugn igen och tittade på henne som om ingenting hade hänt. Hon fick dåligt samvete och trodde att det var hennes fel att den lilla reagerat så konstigt. Och nu satt hon där, lugn och stillsam, i passagerarsätet.

Först hade hon tänkt köra tillbaka, men så ångrade hon sig. Tänkte att detta kanske var ett tecken från Gud. Han hade placerat den övergivna flickan i hennes väg för att hon skulle ta hand om henne. Det fanns en mening.

Istället för att ta av mot Södra Murgatan körde hon hela vägen hem. Flickan reagerade inte, bara satt där och pysslade med sina leksakshästar. När de kom hem till gården kröp hon upp i soffan, klappade kattungarna som låg där i en hög om varandra och så somnade hon. Miriam hade satt sig bredvid henne, strukit henne över kinden, hon var så söt där hon låg. Så lyfte hon upp henne försiktigt, bar henne till sovrummet, bäddade ner henne i sängen. En lång stund blev hon stående i dörröppningen och betraktade den lilla. Just i det ögonblicket hade hon känt att livet hade en mening, att flickan hade gett hennes liv mening. Sedan gick dagarna.

Genom nyheterna fick hon veta tösens namn, Vilma. Det var ett fint namn, hade hon tänkt. Vilma, ivrig krigare betydde namnet. Hon skulle uppfostra henne att bli Guds ivriga krigare. Men så hade Gud ändrat sig. Flickan hon blivit så förtjust i var inte det barn Gud lovat henne i alla fall. Vilma fick plötsligt ett nytt krampanfall. Kraftigare den här gången. Det skrämde henne, hon trodde att den lilla skulle dö. Hon greps av panik över vad hon gjort, insåg att detta var fel, det skulle aldrig fungera.

Hon valde att lämna henne på samma ställe vid samma tidpunkt. Så skulle det vara som om hon inte varit borta alls.

Strax vimlade det av polisbilar på Miriam Kvibergs gård. Heidi Forss verkade oskadd men fortsatte att sova djupt, vilket indikerade att hon fått i sig en för hennes låga ålder ansenlig dos sömnmedel. Flickan fördes i ambulans till lasarettet och gården spärrades av.

– Frågan är var i helsike Miriam Kviberg håller hus, sa Karin irriterat när hon stod med Kihlgård och funderade på nästa steg. Innan de hann svara kom Wittberg flängande.

– Jag fick just tag i kyrkoherden. Han berättade att Miriam ibland söker sig till Öja kyrkas torn för enskild andakt. Hon kan tillbringa timmar i tornet. Det är som en tillflyktsort för henne.

– Det kan vara värt ett försök, sa Karin. Vi åker dit.

Karin och Kihlgård packade in sig i en bil och en patrull följde efter. De körde snabbt ut på stora vägen och norrut, mot Burgsvik och vidare till Öja. När de passerade familjen Forss hus som låg bredvid kyrkan tänkte Karin på den tragik som drabbat familjen. Hon var ändå glad att det inte var David som var den skyldige.

När de klev ur bilen tittade de sig omkring. En bil stod på parkeringsplatsen.

– Kan det vara Miriam Kvibergs?

Karin ställde frågan rätt ut i luften och gick fram till fordonet. En blick genom vindrutan gav henne svaret. Där låg ett häfte med noter med Miriams namn på.

– Det är hennes, ropade hon till de andra och poliserna skyndade in i kyrkan.

Miriam böjde på nacken, blundade. Koncentrerade sig. Skulle Han då äntligen ge sig tillkänna? Det måste Han. Han bara måste. Hon hade räddat flickebarnet undan sina föräldrar som inte klarade av sin uppgift. Hon hade gjort som Han hade befallt henne, hon var en del av Guds plan.

Hon hade beskyddat flickan under sina vingar. De hade förverkat sin rätt, Heidi skulle bli kvar hos henne. Det fanns en mening med allt. Det fanns en mening med att hon bevittnat hur Anna gick ifrån sin dotter på Hemse marknad. Övergav henne. Hon hade inte tvekat en sekund. När hon erbjöd Heidi en ny glass hade flickan tagit hennes utsträckta hand och följt med. Nu hoppades hon att Gud skulle ta hennes. Som hon tog ett barns hand i sin hoppades hon att Gud skulle se på henne som Hans barn.

I tankarna gick hon igenom gårdagens händelser. Hon visste att hon agerat rätt och riktigt. Hon böjde huvudet medan hon mindes värmen från den lilla handen i sin och kände att just det var en del av Guds kärlek, en liten varm hand i hennes.

Hon lyfte blicken och upptäckte en polisbil genom fönstret, långt borta på parkeringsplatsen. Så nu var de alltså här. Det fanns kanske en mening med det också. Guds vägar är outgrundliga, tänkte hon. Det måste vara så.

Under ett ögonblick tvekade hon om vad hon skulle göra. Så reste hon sig, som om hon plötsligt förstod vad Gud ville göra med henne. Vad Hans avsikt var. Hon tog sig ur bänkraden och gick mot dörren som ledde till tornet, ledde upp till Gud.

En smal stentrappa ringlade sig uppåt. Och smal är den väg som leder upp till Gud, och få är de som finner den, tänkte hon medan hon skyndade uppåt.

Plötsligt stannade hon upp, hon hörde en röst. Hon hörde den helt tydligt. Den kom från de tjocka, skrovliga väggarna omkring henne. Det var som en djup stämma som uppmanade henne att komma till Honom. Hon log. Hjärtat bultade vilt i bröstet och hon fortsatte uppåt. Mekaniskt, som om benen gick av sig själva. Hon blev lite yr i huvudet.

Hon hade väntat hela livet. Det var som en dragningskraft, ett magnetiskt energifält som drog henne uppåt. Hjälpte henne att komma närmare Honom, ännu närmare. Hon kände det i väggarna, i kroppen, i huvudet. Hon hade funnit den, den smala vägen. Han hade ropat på henne, hon skyndade på. För varje steg hon tog kände hon Hans närvaro allt starkare. Ljuden omkring henne försvann, hon hörde bara sina egna steg i trappan, sina egna andetag. Och hon fortsatte uppåt.

Snabbt hittade de ingången till tornet. Den låg precis bredvid orgeln och hade lämnats halvöppen. En trång stentrappa vindlade uppåt. De bägge poliserna trängdes i dörröppningen.

– Så Miriam är antagligen i tornet nånstans, sa Karin lågt.

– Ja, hennes bil står här utanför, hon befinner sig uppenbarligen inte i kyrkan och dörren till tornet stod på glänt. Din slutledningsförmåga är imponerande, sa Kihlgård. Vem går först?

– Jag kan ta täten, erbjöd sig Karin och ignorerade kollegans ton. Du kan gå bakom mig och ta emot ifall jag trillar.

– Bara för att du inte tror att jag orkar hela vägen upp, väste Kihlgård.

De tog fram sina pistoler och började smygande ta sig uppåt.

Vid första avsatsen hämtade de andan. Lyssnade spänt med blickarna i taket. Inte ett ljud hördes. Karin pekade på färska skospår i dammet, det rådde ingen tvekan om att Miriam Kviberg var där. Hon kastade en blick ut genom en tornglugg. Bilarna syntes långt nedanför. Från denna avsats fanns en brant trätrappa.

Nästa platå låg en bra bit ovanför. Det började bli tungt. Karin undrade hur högt kantorn hunnit. Nu borde de åtminstone vara halvvägs uppe i tornet. Plötsligt hördes ett skrammel. Hon stelnade till. Kantorn var närmare än hon trodde. Var hon beväpnad? Karin tvekade. Skulle de fortsätta eller vänta tills förstärkningen kom? Miriam Kviberg kunde ju knappast försvinna.

De bestämde sig för att fortsätta. Strax närmade de sig avsatsen, kunde inte skönja något, såg bara dess golv en bit ovanför. Så nådde de kanten och fick omedelbart syn på Miriam Kviberg. Hon satt uppenbarligen och väntade in poliserna.

Karin vände sig om mot Kihlgård.

– Stanna där. Ring på förstärkning. Jag tror att det är bäst att jag går upp till henne ensam.

Kantorn satt på knä i ett hörn med armarna sträckta upp mot kyrktaket som i bön. Ögonen var slutna. Hon var klädd i lång svart kjol och vid kappa, nästan som ett enda stort tygstycke. Håret uppsatt i en stram knut. Karin stoppade ner pistolen och klev upp på avsatsen med ögonen vilande på henne. Kantorn mötte lugnt hennes blick, hon såg på något sätt nöjd ut, som om hon satt där och smålog.

– Hur mår du? frågade Karin.

Kantorn tittade upp, förvirrad.

– Kommer du för att hämta mig?

– Ja.

– Det är för tidigt, svarade kantorn. Jag är inte redo.

Hon böjde ner huvudet och blundade.

– Du måste komma med mig nu, sa Karin.

Kantorn såg vädjande upp på henne.

– Snälla, bad hon. Jag behöver bara ett svar, jag har väntat i hela mitt liv. Nu måste Han svara mig.

Karin tvekade. Skulle hon gripa henne, belägga henne med handfängsel och ropa på Kihlgård?

Hon tvekade ännu när hon såg att kantorns armar som fortfarande var höjda mot taket skälvde till. Så vände hon sig mot Karin. Hennes ögon strålade, hon var helt och hållet i sin egen värld.

– Min Gud har svarat mig. Jag är klar.

– Är allt bra? frågade Karin.

– Väldigt bra, tack. Jag mår väldigt bra, upprepade hon och log ett förbindligt leende.

Karin började gå mot henne.

Kantorn lyfte höger hand och förde pekfingret till sina läppar.

– Hyssj, viskade hon. Hör du Honom inte?

Karin såg sig snabbt om, som om det skulle vara någon annan närvarande. Tanken slog henne först nu. Miriam Kviberg kanske inte var ensam. Plötsligt vädrade hon fara. Handen slöt sig runt pistolen i fickan.

– Är det nån annan här? frågade hon.

296

– Javisst, ser du Honom inte?

En snabb blick runt. Pulsen steg. Hon vände sig om och tittade bakom sig vilket utlöste en fnitterattack från kvinnan på golvet på andra sidan avsatsen.

– Vad är det fråga om? undrade Karin irriterat. Kantorn började gå henne på nerverna.

– Ser du Honom inte? sa hon med jubel i rösten. Han är här nu. Han har kommit hit. Ser du inte Herren?

Knutas låg vaken och tittade med öppna ögon ut i mörkret. Han kunde omöjligen somna. Om bara några timmar måste han upp för att åka till flygplatsen med Karin och resa till Gran Canaria. Tanken på att återvända till bergsmassivet där dödsolyckan inträffade både lockade och skrämde. Först hade han tyckt att Karins idé enbart låtit bra. Det verkade logiskt att det kunde vara läkande att ersätta gamla jobbiga minnen med nya från ett ställe där man upplevt något chockerande, något som gett obehagliga minnesbilder som man inte blev kvitt utan som malde i huvudet, om och om igen, i månader efteråt. Men sedan hade han fått höra psykologens varningsord. Hon hade menat att det kunde vara bra att se en plats från vilken man hade traumatiska minnen om man själv inte kände någon skuld till händelsen, som till exempel de anhöriga till dödsoffren efter tsunamikatastrofen i Thailand eller familjerna till de mördade ungdomarna i norska

Utöja. Om man däremot kände skuld, hävdade hon, kunde effekten bli den motsatta. Och det var just det han gjorde.

Knutas visste inte vad som var rätt eller fel, han visste bara att han ville bli som vanligt igen och att varken den antidepressiva medicinen eller psykoterapin hjälpte mot minnesbilderna som trängde sig på, som tyngde honom och drog honom neråt.

Han längtade efter sitt gamla, vanliga jag. I själva verket var han en ganska harmonisk människa som inte brukade se några större problem i tillvaron. Han ville vara genuint glad igen, hade nästan glömt hur det kändes. Även om han upplevde lyckostunder tillsammans med Karin dök han allt som oftast ner i svarta hål fortfarande. Han längtade efter att kunna återvända till arbetet på heltid. Att få känna sig kompetent och kapabel. Som en tillgång istället för en belastning.

Han ville också kunna vara mer för Karin. Hittills hade det känts som om han inte haft så mycket att erbjuda. Och han ville göra allt för henne, för att de skulle ha det bra. Från och med nu var han fast besluten att anstränga sig så långt det var möjligt för att göra henne lycklig, för att ge henne det hon behövde.

När han legat och vridit sig ytterligare säkert en timme och fortfarande var klarvaken gav han upp. Det var ingen idé att försöka sova. Han klev ur sängen, duschade, klädde på sig, bäddade och plockade i ordning det sista och tog en kopp snabbkaffe. Klockan var fyra på morgonen och det var kolsvart ute.

Det kröp i honom av rastlöshet. Väskan var packad, sängen bäddad, blommorna vattnade och han ville bara komma iväg. Men det var lång tid ännu innan han skulle plocka upp Karin på väg till flygplatsen. För att få tiden att gå bestämde han sig för att ta en promenad. Han satte på sig en jacka och gick ut.

Nattluften var kall och fuktig. Det hade regnat. Han traskade mellan de nedsläckta husen på de folktomma gatorna och kände sig lite uppiggad. Nu börjar något nytt, tänkte han. Resan till Gran Canaria kanske blir just det, ett avstamp för det nya. Kanske börjar denna depressiva period närma sig sitt slut och jag kan börja mitt nya liv tillsammans med Karin.

Han vek in på vägen som ledde upp mot kyrkogården, gravstenarna såg spöklika ut i nattmörkret. Hans steg ekade tomt på den hårda asfalten. Han kom att tänka på småbarnsmamman Frida Lindh som hittades mördad bland gravarna tio år tidigare. Otäckt fall. Han rös till och körde händerna djupare i fickorna.

Knappt hade han tänkt tanken klart förrän han hörde steg bakom sig. Han vände sig om. En man med en svart luva och täckjacka kom gående en bit bort. Han gick raskt med huvudet något nerböjt. Ännu en nattvandrare, tänkte Knutas. Det kändes skönt att han inte var ensam. Han fortsatte framåt. Efter en stund hörde han inte stegen bakom sig längre. Mannen hade väl vikit av in på någon tvärgata. Kanske var han på väg hem efter en sen festnatt även om det var ganska oväntat en tisdagskväll i oktober.

Luften kändes frisk. Knutas drog ett djupt andetag. Var glad för att han hade bestämt sig för en promenad istället för att ligga och vrida och vända sig i sängen utan att kunna somna och bara vänta på att tiden skulle gå.

Rätt som det var fick han syn på mannen med luvan och täckjackan igen. Nu stod han plötsligt en bit framför, borta vid muren som omgärdade kyrkogården. Han rökte en cigarett. Trots att det var på ganska långt håll kunde Knutas se rökmolnet omkring honom. Märkligt, tänkte han, och saktade automatiskt in på stegen. Han måste ha tagit en genväg. Men varför står han där? Kanske väntar han på någon, ett hemligt möte i mörkret? Vilket ruggigt ställe att välja, precis vid kyrkogården.

Automatiskt drog sig Knutas närmare den bortre kanten av vägen för att komma så långt från den främmande mannen som möjligt. När han kom närmare greps han av ett starkt obehag. Mannen hade dragit luvan över halva ansiktet, bara pannan och ögonen syntes. Knutas var på vippen att tvärstanna och vända åt andra hållet när mannen plötsligt vände sig om och med ett vigt hopp tog sig över muren och in på kyrkogården.

Vad i helsike håller han på med? tänkte Knutas, samtidigt som han erfor en viss lättnad över att mannen försvann ur hans åsyn.

Han saktade in på farten men fortsatte framåt. Han skulle ta av in på nästa gata och snedda hemåt. Det fick räcka nu.

Nu ville han hem så fort som möjligt. Han skyndade genom den sovande, folktomma staden. Hjärtat bankade i bröstkorgen. Han ville inte bli indragen i något nu när han skulle resa bort med Karin och allt. Nu när hans liv äntligen var på väg att ordna upp sig.

Regnet öste ner. Karin lade ner de sista klädesplaggen i resväskan. Klockan 06.40 lyfte planet mot Arlanda och ett par timmar senare skulle hon och Anders vidare mot Gran Canaria. Hon kastade en blick ut genom fönstret. Nu kändes det helt rätt att åka. Det var mörkt, kallt och blåste, gick knappt att gå ut. Inte för att det var någon solsemester de skulle på, men ändå. Hon hade kollat vädret i Puerto de Mogán där de skulle bo. Tjugosju grader och sol. Som hon längtade. Dessutom hoppades hon på att det skulle vara bra för Anders att åka tillbaka till platsen där dödsolyckan hände, kanske skulle det hjälpa en del. Hans psykolog hade visserligen varit tveksam, men Anders verkade tycka att det var en bra idé. Karin var glad över att han ville ha henne med.

De subtila hot som troligen kom från Vera Petrovs överlevande make, Stefan Norrström, verkade lyckligtvis ha upphört. Hon suckade för sig själv. Det skulle bli skönt att komma vidare så att hon och Anders äntligen kunde ta tag i sitt gemensamma liv. Hon hade börjat tänka att de skulle flytta ihop. Upptäckte att hon inte alls tyckte om att somna ensam i sin säng längre, än mindre vakna utan honom på morgonen. Helst ville hon ha honom där hela tiden.

Det var också skönt att lägga hela utredningen bakom sig. Kantorn Miriam Kviberg satt häktad i väntan på rättegång. Hon hade erkänt båda kidnappningarna och även mordet på Anna Forss och att det var hon som placerat spaden utanför familjen Forss hem. Fallet var uppklarat. Heidi Forss var tillbaka hos sin pappa, hon verkade inte ha tagit någon större skada av själva bortrövandet. Miriam Kviberg hade behandlat henne väl. Däremot var förstås mammans död en chock. Som en tröst hade hon fått behålla en av kattungarna. Ingen avslöjade för flickan vad som verkligen hänt, att Miriam slagit ihjäl hennes mamma. Tids nog skulle hon få veta.

Karin slog ihop resväskan. Vattnade blommorna rejält, de skulle klara sig en vecka. Kakaduan hade grannen tagit hand om.

Tankarna gick tillbaka till kantorn. En märklig och gåtfull kvinna. Hade levt ensam tillsammans med sina föräldrar hela livet på gården. Var det ensamheten som hade drivit henne till kidnappning och mord? Det var svårt att begripa hur en människa kunde bli så desperat. Trots allt hade hon ändå verkat tillfreds på något sätt när hon greps av polisen, även i förhören efteråt.

Hon hade mött Gud, sa hon, äntligen. Hela livet hade hon strävat efter det, och till sist hade det skett.

Karin släckte lamporna, lyfte upp sin väska och lämnade lägenheten.

Knutas tittade igenom huset en sista gång innan det var dags att åka. Han skulle ta en taxi och plocka upp Karin på vägen. För första gången på länge kände han sig lättare om hjärtat. Ju mer han tänkte på det, desto mer rätt kändes det ändå att resa tillbaka till olycksplatsen på Gran Canaria. Det gick inte att fly undan längre.

Han satte på sig en jacka, öppnade ytterdörren och lyfte ut bagaget. Det var fortfarande mörkt ute, klockan var bara halv sex på morgonen. Knutas tyckte om att vara ute i god tid. Luften var frisk och kall, det småduggade och asfalten ute på gatan lyste svart och blank. Han kom på sig själv med att titta efter katten innan han mindes att hon inte fanns längre. Han huttrade till vid tanken. Han hade inte brytt sig om att ringa taxi än, han tänkte ta sig ett bloss i lugn och ro först. Han hade börjat röka sin gamla pipa igen, höll inte bara på och stoppade den som han gjorde förr.

Han tände pipan och drog ett bloss. Gatan var folktom och det var fortfarande mörkt i husen. Det var tidigt än.

Han lutade sig mot staketet till huset, kände sig inte helt bekväm. Tankarna gick till mannen med luvan han mött under sin nattliga promenad.

Plötsligt fick han syn på en bil som stod parkerad längre bort på gatan. Det var inget särskilt med den egentligen, förutom att den stod stilla vid trottoarkanten och någon satt i den. Han såg silhuetten tydligt bakom ratten i förarsätet. Första tanken var att det var en person som väntade på någon. Men något gjorde honom misstänksam. Han tänkte på mannen med luvan igen. Blev tveksam. Skulle han gå in på tomten och vänta på taxin eller gå förbi bilen och se vem som satt i den?

Snabba bilder fläktade förbi i huvudet. Kaffebryggaren, hans döda katt på farstukvisten. Fortfarande var han osäker på om det var hans eget psyke som spelade honom ett spratt eller om någon verkligen hade tagit sig in i villan och satt på bryggaren. Om katten dött en naturlig död, kanske försökt ta sig hem och att det var åverkan från fåglarna som orsakat allt blod. Eller inte. Det kunde vara ett sjukt skämt, eller snarare hot. Det kunde i så fall bara vara Stefan Norrström. Var det han som satt där borta i bilen och spionerade på honom? Vad ville karln egentligen? Kanske var det lika bra att ta reda på det. Om det nu var han.

Knutas kände sig stärkt av tanken, vände tvärt om

och gick med raska steg i riktning mot den parkerade bilen.

Då startades motorn, gasen trampades i botten och bilen körde rakt emot honom. Knutas hann känna igen Stefan Norrströms ansikte bakom ratten.

Författarens tack

Tack till *Cenneth Niklasson* och mina barn, *Bella* och *Sebbe* för kärlek, stöd och omtanke – allt ni ger och har gett mig.

Tack till alla vännerna; främst *Katerina Janouch*, *Maria Ernestam*, *Katarina Wennstam*, *Maria Sveland*, *Mian Lodalen*, *Lilian Andersson* och *Ulrika Hall* – tack för att ni finns i min närhet.

Tack till min syster *Ewa Jungstedt Pilestål* för din närvaro och ditt stöd under detta förändringens år.

Och tack till *Ruben Eliassen* för inspiration och hjälp med boken.

Även ett stort tack till:

Ulf Åsgård, psykiater och gärningsmannaprofilexpert
Lena Allerstam, journalist
Magnus Frank, kriminalkommissarie, Visbypolisen
Johan Gardelius, kriminaltekniker, Visbypolisen
Martin Csatlos, Rättsmedicinska avdelningen i Solna
Johan Fingal, lektor
Liv Stenström, kantor, Öja kyrka
Walter Wiklund, kyrkoherde, Öja kyrka
Tara Djume, konstnär, Arguineguin
Yanira Suárez, Salong Jenny, Arguineguin
Jennifer Ortega, Salong Jenny, Arguineguin

Anders Larsson och *Cecilia Lindberg Larsson*, Salong Casa A2, Visby
Inger Ahlström, *Kjell Nilsson* och *Urban Bogren*, Källstäde kalkonfarm

Ett stort tack till alla proffsiga medarbetare på Albert Bonniers Förlag – framför allt min förläggare *Lotta Aquilonius* och min redaktör *Ulrika Åkerlund*. Min formgivare *Sofia Scheutz*. Min pressagent *Anna-Karin Korpi* och min fotograf *Anna-Lena Ahlström*.
Tack också till *Anna-Karin Eldensjö*, ATN.
Och sist men inte minst – alla underbara författarkolleger – tack för allt stöd, all inspiration och allt kul vi har!

Stockholm i mars 2013
Mari Jungstedt